てんちむ

推される力

推された人間の幸福度

秋カヲ

私が画面越しに見ていたてんちむは、実体の10％にしか過ぎなかった。

秋カヲリ

２０２０年９月――
てんちむ大炎上。
ＳＮＳはバッシングの嵐
私を死なせてでも
てんちむを生かす。
道化になっても
生き抜いてやる
生き抜くために背負ったのは、５億円の自腹返金。
逆境に追い込まれると異常に頭が冴えて、全能感に満たされる。
成果のために感情は捨て、自分を殺した。
炎上直後の半年で逆にファンを増やし、〝推し活〟で３億円稼いだ。
世論はあっけなくひっくり返った。
10歳から29歳まで、自分を築いては壊して、過去の自分を超えてきた。
人気子役、ブロガー、ギャルモデル、ユーチューバー。
ユーチューブのチャンネル登録者数は、約１７０万人まで増えた。
２０２３年９月――
てんちむは突然、
無期限活動休止した

彼女は、10歳から29歳まで推され続けた
天性のインフルエンサーだ。

インフルエンサー【英：influencer】

世間に大きな影響を与え、絶大な支持を持つ人。フォロワーが多く、熱量の高いファンも多い。ＳＮＳやブログなどを通して情報を拡散し、他人の思考や行動を変える力がある。

てんちむ（本名：橋本甜歌）年表

1993	中国・北京市で生まれる
1996	来日、栃木県足利市で育つ
2004	小学校5年生でNHK教育『天才てれびくんMAX』レギュラー出演 ファッション雑誌『ピチレモン』の専属モデルに
2006	『天才てれびくんMAX』卒業
2007	連続ドラマ『こどもの事情』主演 ギャル化し、芸能活動休止
2009	中学2年生で個人ブログを開設、ブログ収益で月収100万円に 15歳で上京
2010	ファッション誌『Nicky』のメインモデルになり、人気ギャルモデルに 16歳で目黒のタワーマンションを購入
2014	映画『最近、妹のようすがちょっとおかしいんだが。』主演 20歳でニートになり、ゲーム廃人に
2016	独立してユーチューブチャンネルを開設、22歳でユーチューバーに転身
2020	1月、ユーチューブチャンネル登録者数100万人突破。 9月、豊胸暴露によりバストアップ商品が炎上、返金・損害倍書金の支払いを発表 11月、ユーチューブの毎日更新に加えて『クラブNanae』『バーレスク東京』でのトリプルワークを開始。ユーチューブチャンネル登録者数150万人突破
2021	4月、約5億円を完済。 6月、家賃200万円のマンションに引っ越し 8～12月、海外へ
2022	1月、『クラブNanae』『バーレスク東京』を引退
2023	大型DJイベントを開催。3日で5500万円超を売り上げる **9月をもって、無期限活動休止**

―目次―

第二章

第三章
ファンを飽きさせない「リセット力」
―コロナ禍に海外旅行―

第四章

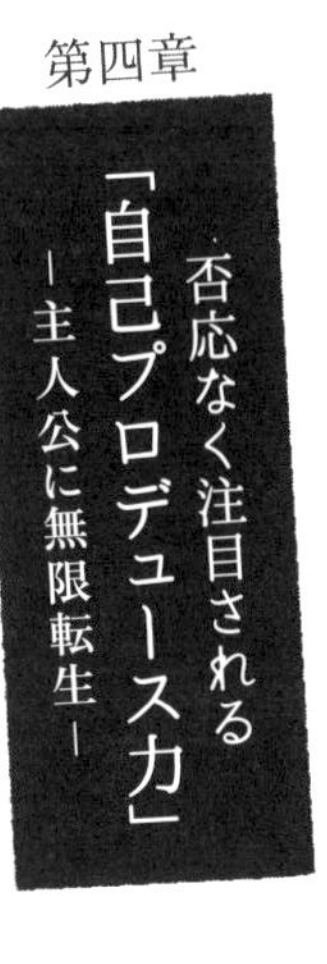

てんちむを辞めたい

炎上直後の半年で5億円返金した「推されるインフルエンサー」

小学生から時代の寵児であり続けた天性のインフルエンサーは、何を見て、何を考えていたのだろう。
何に希望を感じ、何に絶望を感じ、活動休止に至ったのだろう——。

てんちむほど逆境に強く、人を惹きつけるインフルエンサーを見たことがない。多くのインフルエンサーに取材してきたが、圧倒的だ。

逆境に立たされると信じられないほど力を発揮し、瀕死になるたび強くなって蘇る。華やかなルックスながら、その生命力はスーパーサイヤ人のような猛々しさがある。

企業を巻き込んだブランドビジネスで何億という売上を立てるインフルエンサーはいる。ただ、てんちむという女性は、小学生からずっと個人の力で稼ぎ続けてきた。

中学生にして月100万円を稼ぎ、16歳で都心のタワーマンションを買い、ユー

チューバートップクラスの炎上をしても、直後の半年で推し活ビジネスにより3億円稼ぎ、2億2000万円の貯金を含めて5億円超を返金した。

どんなトップインフルエンサーも、炎上後の信頼回復には苦戦する。心が折れて活動休止する人だって多いのに、瞬く間に信頼を回復して一気に稼いだのだ。信じられない生命力だ。


てんちむは小学生で『天才テレビくん』に出演し、〝てんかりん〟として全国区の人気を得た。中学生からはギャルの〝てんちむ〟に転身、カリスマブロガーとして活躍。成人してからはトップユーチューバーにのし上がり、どの場所でも必ず成果を出してきた。

話題の人がすぐに廃れるインターネット界で、これほど長く注目を集め続けるインフルエンサーは稀だ。若さが戦力になる女性でありながら、影響力を高め続けたのも珍しい。

テレビで活躍していたのは小学生時代で、中学生以降はネットが主戦場。アルバイト経験も、ビジネスに生かしている資格もない。巨額を稼げる事業や投資をしているわけでもない。何度も炎上し、引退や休止も重ねている。

しかし、**ドン底に落ちるたびに影響力を増す。**大炎上後の5億円返金はその典型で、窮地に陥ると全てを投げ捨てて盤面をひっくり返す底なしの執念がある。人生で一番稼いだのも、逆風吹きすさぶ炎上直後だと言う。

てんちむは絶望するとゾーンに入り、落ち切ってV字回復を描く過程で信じられない洞察力と行動力を暴発させる。否が応でも人を惹きつけ、急速に再起し、支持者を増やす。

本人は「追い詰められて覚悟を決めてから、どうすれば挽回できるか考えているときが一番滾る」と言う。絶望した瞬間の滾りは、どのインフルエンサーとも違う独自の力だ。

大炎上したてんちむは、炎上から半年で3億円を稼ぎ、ユーチューブの登録者数を伸ばして150万人を突破し、多くのファンを熱狂させた。

そして**約170万人まで登録者数を増やした2023年7月、突如「無期限活動休止」を発表し、9月をもってSNSの舞台から降りた。**

ギャルマインドあふれる破天荒なキャラクターのせいか、華やかで派手なルックスのせいか、彼女の底力がフォーカスされることは少なく「なんかすごい」という印象で留まっている。その底力を暴きたくなり、約1年かけて取材を重ね、1冊の本にした。

本書ではてんちむ本人や、彼女と仕事やプライベートをともにする人々に取材をし、**なぜこれほど人を惹きつけ、逆境を跳ね除け、唯一無二の影響力を発揮し、熱狂的に推され続けたのか**、そして、その裏側にはどんな思想や葛藤があったのかを紐解く。

まずは、世間を敵に回した大炎上からの復活劇を見ていこう。

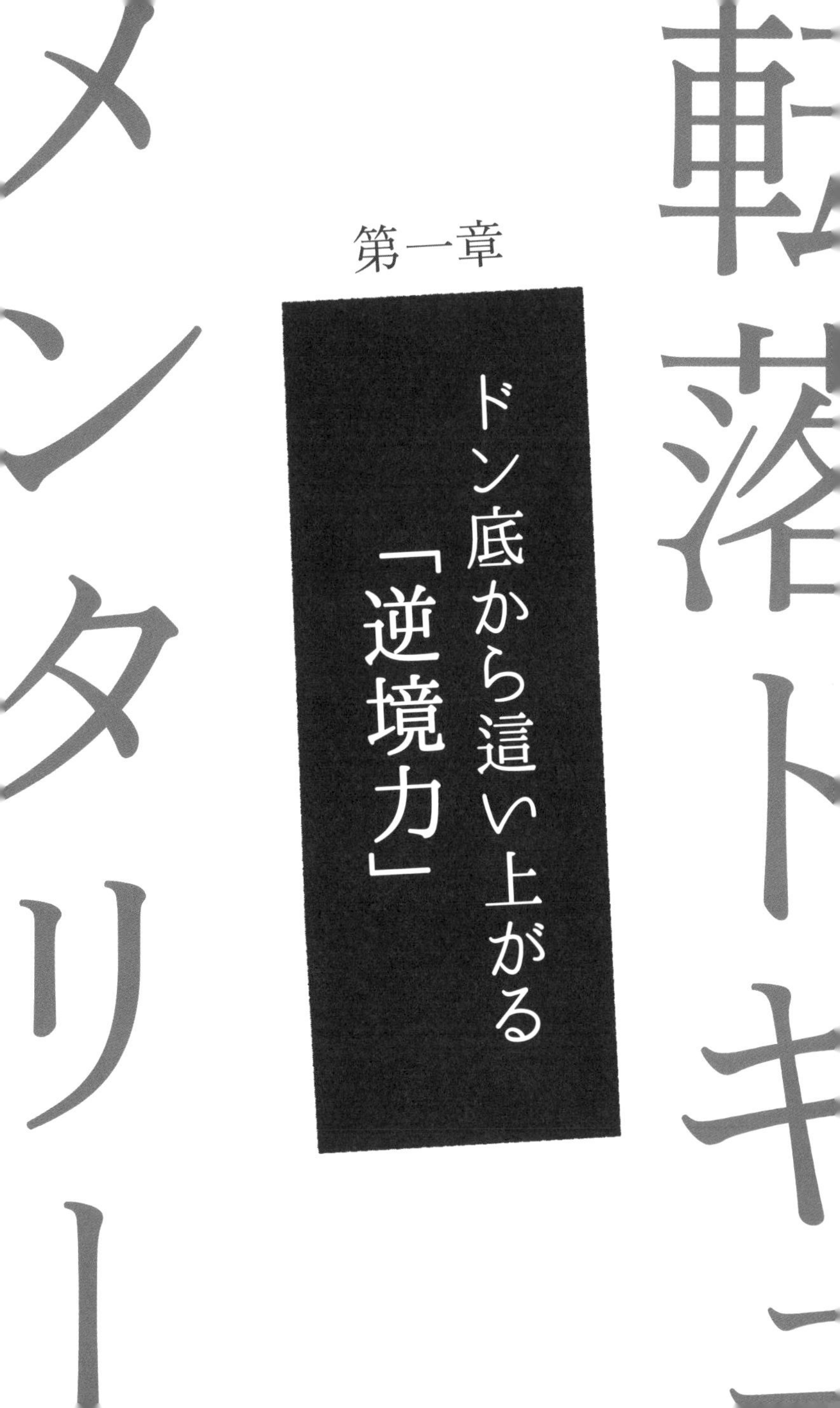

第一章

ドン底から這い上がる「逆境力」

豊胸でインフルエンサー失格

てんちむほど逆境で推されたインフルエンサーも知らないが、豊胸で怒られたインフルエンサーも知らない。

てんちむは2016年にユーチューブ活動をスタートし、ブログから読者を誘導しながら堅調に登録者数を伸ばした。2017年に「手術なしでAカップからDカップになった」と公言したバストアップ動画をバズらせ、それから複数のバストアップ商材をPRしていた。なかでも大ヒットしたのが、2018年に発売したてんちむプロデュースのバストアップ下着である。

ところが、2020年8月、知人に脂肪移植による豊胸手術を暴露される。「**視聴者をだましてコンプレックス商材で大儲けした詐欺師**」**と批判が殺到し、大炎上した。**

その炎上っぷりはすさまじく、ユーチューブチャンネルの登録者数は2万人ほど減

応援してくださっている皆様へ

少した。９月に公開した謝罪動画は６８４万回以上再生されている＊。闇営業騒動で連日ワイドショーに取り上げられたお笑い芸人・宮迫博之さんでさえ、ユーチューブの初回動画は６０６万回再生だ。とにかく話題になり、大いに叩かれた。高評価数５万に対して低評価数12万と、約７割が批判的な評価をつけている。

しかし、炎上からわずか1か月で、その後の動画評価を高評価にし、チャンネル登録者数を10万人以上増やした。３か月後には高評価が９割になるほど好感度を爆上げし、もともと１３８万人だったチャンネル登録者数は１５０万人を超えた。たった数か月で、世間に手のひら返しをさせたのである。

運命の分岐点は「自腹での全額返金」を選択したことだ。炎上後の初手となる謝罪動画で、てんちむは全面的に非を認め「返金希望者には自腹で全額返金する」と公言した。７割が低評価ではあったが、５万もの高評価がついた。

＊ 2023年9月時点

これは広告業界でも異例のことで、企業がインフルエンサーに損害賠償を求めるケースはあっても、インフルエンサーが購入者に返金した事例はなかった。本来返金を行うのは販売責任者であるメーカーであり、広告塔のインフルエンサーではないからだ。広告業界の関係者からも「変な前例を作らないでくれ」と止められたそうだが、てんちむは自腹返金を選んだ。「自己保身より信頼回復を優先したい」という気持ちが強かったと言う。

「引退しろってコメントもあったんですけど、引退しても逃げたことにしかならないじゃないですか。今の〝てんちむ〟がいるのはファンのみんなのおかげだから、活動のベースはお金ではなくファン。自分で返金しなかったら、この話が出るたびにファンの信頼を裏切って逃げた自分が嫌いになるから、自分のためにも返金したかったんですよね。自分で責任を取れないのがすごく嫌で、**逃げずに罪を償うにはどうしたらいいんだろうって悩んだ結果、自分の誠意を見せるために自腹で返金しよう**って決めました」

確かに返金する義務こそなかったが、「豊胸をしていない」と謳ってバストアップ商材をプロデュースするのはファンを裏切る行為だった。バストに対するコンプレックスを持つ人が「努力でバストアップしたてんちむがプロデュースしたなら」と信じて買ったわけで、色々な意味で傷ついた人もいただろう。

実は私も小さな胸に小さな期待を募らせてバストアップブラを購入しており「さすがにそりゃないだろ」と思った。豊胸した人がプロデュースするのと、豊胸していない人がプロデュースするのとではまったく意味合いが違う。しかも自力でバストアップした前提で何度もバストアップ系動画を発信していたので「ずっと騙していたのか」という落胆もあった。

てんちむは炎上した翌日には返金を決めていたが、バッシングの嵐で相当メンタルをやられ、逃げたい気持ちも抱えていた。返金が貯金額で収まるなら、引退して身を隠すこともできる。

アシスタントであり幼馴染でもあるしんちゃんは、当時の様子をこう振り返る。

「取り乱して発狂してました。あれだけユーチューブの配信やネットニュースでバンバン取り上げられてＳＮＳで叩かれたら、さすがに冷静じゃいられないと思いますけど、今後どうするか決めなきゃいけないんで、僕の家でずっと話し合ってましたね。最初は『全身整形して別人として生きていきたい』って何度も言ってましたよ。でも何したって絶対バレるし、僕からしたら全身整形は逃げだから、逃げ以外の選択をさせたいと思って『引退するにしてもしないにしても、この問題を解決しないと前に進めないよ』って伝えました」

幼馴染男性ゆえの忖度ない助言は、てんちむの決断を後押しした。いずれにせよ自腹返金を選んでいた気はするが、てんちむだって当時は26歳の女性だ。自業自得とはいえ、豊胸手術の暴露で過去のコンプレックスを掘り返されて世間から大バッシングされる日々は過酷なものだっただろう。批判だけでなく、誹謗中傷も山ほどあった。

ただ皮肉にも、**炎上で自己否定を重ねて自己肯定感が底をついたとき、てんちむは這い上がる力を得た**。責任が自分を圧し潰す重荷になる人もいれば、突き上げる動力になる人もいる。てんちむは後者だった。

責任をまっとうしてもう一度胸を張るために、てんちむは〝転落〟した。

転落ドキュメンタリーで這い上がれ

さよなら2億2000万円

返金を決めるなり、てんちむは貯金していた2億2000万円をメーカーに支払った。2億2000万円である。間に弁護士も入れずに支払ったというのだから驚く。

心の底には「たかが2億2000万円を守って、てんちむ生命を終わらせてたまるか」という負けん気もあった。2億だろうが3億だろうが、返金を乗り越えられれば、誠意を伝えたうえで今以上の富も名声もつかみ取る自信があった。

負担したのは購入者への返金額だけではない。返金に否定的だったメーカーは、てんちむに「問い合わせ窓口を設けて返金対応する手数料」として返金額の3割を請求し、返金額×1.3倍を支払うことになった。周りからは「自腹で返金するのに、手数料まで支払う必要はない」と大反対された。

「本当はメーカーとちゃんと話し合うべきだとは思うんですけど、弁護士さんを入れて交渉するのってすごく時間がかかるから、返金スピードがめっちゃ遅くなるんですよ。金額よりもスピードを優先したかったので、時間を買うつもりで貯金のほぼ全額を払いました。とにかく早く責任を果たしたかったんです」

思い切った選択だが、炎上対応としては完璧だった。**炎上対応のゴールは「視聴者が納得すること」だ。まずは視聴者に不快な思いさせた事実に向き合い、誠実なメッセージを届けるのが望ましい。**自腹返金という掟破りの選択は、視聴者に対して最大限誠実に向き合う行為だった。

謝罪動画を公開してから返金希望者からの問い合わせが殺到し、返金額を稼ぐにはユーチューブを続ける必要があった。

何かを決めるということは、何かを捨てることだ。責任を負うと決めたてんちむは、逃げ道を捨てた。

3本目までに掴めなきゃオワコン

炎上は放置するほど燃え広がる。てんちむは「炎上の汚名を返上するには、話題性があるうちにより強いアクションで手を打ったほうがいい」と考えた。

炎上対応は絶対に失敗できないミッションでもあり、慎重な判断も欠かせない。炎上対応に失敗すると、今まで蓄積していた信用が失われ、一気に視聴者の興味関心が薄れてしまう。

インフルエンサーにとって一番恐ろしいのは興味関心を持たれないことだ。てんちむも「這い上がり方をミスったらオワコンになるから、絶対に間違えないようにしよう」と細心の注意を払っていた。

「視聴者は何を求めているのか、どうすればわかりやすく伝えられるかを意識して、表に出す情報を決めました。本当に知りたいことは『返金はいくらで、いつ全部返せるか』だと思ったので、返金についての報告は逐一シンプルに伝えました。いろいろな会社や関係者が関わる部分には極力触れず、不必要なことは言わないようにしていましたね」

ありがちな失敗は、謝罪動画の後にすぐ通常の動画を出して「反省していない」といった批判コメントが殺到するパターンだ。ならば落ち着くまで待てばいいのかというと、それも賢くない。**多くの人が動向に注目している炎上直後はイメージを払しょくするのに絶好のタイミングだ。**放置すると悪いイメージが固定化するうえに興味関心も薄れ、見られる機会が減って汚名返上が難しくなる。

てんちむは、そのタイムリミットを意識していた。

「**1年後に返金しても、その頃には私の賞味期限が切れてる**んですよ。まだ自分の話題があるうちにもっと大きな話題で上塗りしていかないと、てんちむは死ぬって思いました」

勝負は、謝罪直後の動画3本分だ。てんちむはユーチューバーが炎上した後の動画の再生数を調べて「**見られるのはせいぜい3本目まで**。できるだけ興味関心を集めて話題を作らなければ、飽きられてオワコン化する」と考えた。

「ファンからの反響って本当に大事なんですよね。ユーチューブって再生数や高評価数が全部見えちゃう世界なんで、再生数が少なかったら『てんちむはもう終わった』って空気になっちゃう。

返金のためにもユーチューブで注目されなきゃいけないから、世間を飽きさせずに『てんちむ、なんかすごいことになってんな』っておもしろがられなきゃ、炎上に負けないくらい大きな話題を作らなきゃって思ってました」

そこで開幕したのが、世間を大いに騒がせた〝転落ドキュメンタリー〟だった。

私はピエロ、Yahoo！ニュースの人気者

人の心を動かすのはストーリーであり、多くの人は美しいストーリーを描こうとする。炎上後であればなおさら「反省して、努力して、少しずつ立ち直る」といった美しい起承転結を見せたくなるものだ。

ただ、クオリティの高い映画作品なら1本で起承転結を描いて感動させられるが、日常系のユーチューブ動画となると映像としての完成度が低いし、1本で起承転結がまとめきれない。「気になってしょうがない」「ついつい見てしまう」とはならず、途

中で飽きて見なくなる人が大半だろう。何かの折に「そういえば、○○ってどうなったんだろう？」と思い出し、「○○　現在」と検索されるのが関の山だ。

てんちむは美しいストーリーではなく、**ありのまま堕ちた様をさらけ出す生々しいストーリーを選んだ。リアルの生活と連動した〝転落ドキュメンタリー〟**である。

「人の不幸は蜜の味って言うように、てんちむを叩いている人にとって〝てんちむが転落していくコンテンツ〟は気持ちがよくて、見たくなるものだと思うんです。『**どうぞ私を見て笑ってください**』って思って、**道化になりました**」

てんちむの華やかなギャル顔から「道化になろうって決めた」「どうぞ私を見て笑ってください」といった『人間失格』ばりの言葉がさらさらと出てくる。あきらめと執念が交差して、軽くめまいがする。

肝となる最初の3本では、わかりやすい転落が映し出された。

謝罪動画の次に公開した1本目の動画は「**街頭インタビューでボロカス言われた後、本人登場**」。渋谷の街中で、アシスタントがてんちむについて街頭インタビューし、途中でてんちむ本人が出てきて謝罪するという体当たり企画だ。

「ファンの方を傷つけて信用を失わせてしまって本当に申し訳なかったので、一般の方に謝る動画は最初に出そうと決めていました。**しっかり謝罪して誠意を伝えてから自分のストーリーを始めたほうがいいと思って**、1本目は街頭インタビューで謝る動画にしたんです」

見ず知らずの人に声をかけて答えてもらう街頭インタビューはかなり気力が求められる企画だが、購入者でもない一般人にひたすら謝罪して頭を下げるてんちむを見ると、プライドを捨て切っているのがよくわかる。

2本目の動画「**炎上中、ガチで家を失った**」では、

街頭インタビューでボロカス言われた後、本人登場

炎上中、ガチで家を失った

タワーマンションからアパートへ引っ越した。

「**家を失う動画を2本目に公開したのは、炎上よりインパクトのある破産っていうワードでさらに話題性を高めたいと思ったから。**謝罪動画を上げた日から返金問い合わせが殺到して『今の生活を続けるのは絶対に無理だな』ってわかっていたんで、すぐマンションを解約しました」

アパートへの引っ越しは、転落しているのがよくわかる。「高級タワマンでウーバーイーツばかり頼んでいたてんちむが、アパートの1階に住むなんて」と衝撃を受けると同時に「ハイブランド品ばかり着ていたてんちむが、返金のためにそこまで生活ランクを下げられるのか」と驚いた。

3本目の動画「**ヒカルが鑑定士を連れて家に来た**」では、人気ユーチューバーのヒカルさんが連れてきた鑑定士に手持ちのブランド品を売っている。

「視聴者からの信頼があるヒカルさんに味方してもらうことで、炎上してもてんちむから人が離れていないことを見せたくて、コラボをお願いしました」

炎上したら孤独になるインフルエンサーも多いなか、多くのユーチューバーとコラボしている。炎上後の対応で好感度を上げ、世間からも注目されていたてんちむは、ほかのユーチューバーにとって応援したくなる存在であり、再生数を獲得できる人気コンテンツでもあった。視聴者からしても、次々に人気ユーチューバーとコラボしてなりふり構わず這い上がる様子を見せているてんちむは「これから死に物狂いで盛り返してきそうな人」であり、オワコンな印象は微塵も感じられなかった。

ヒカルが鑑定士を連れて家に来た

これらの3本は、一般人にてんちむが謝罪する1本目で視聴者の代理戦争を完了させ、2本目と3本目で転落する姿を見て留飲を下げるという流れになっている。

全てやらせではなく、リアルな生活と連動させた事実であることもヒットの要因だ。特にリアルだった「炎上中、ガチで家を失った」は438万回も再生されていて、ネットニュースでも数多く取り上げられた。

てんちむは「**ドキュメンタリーとゴシップを意識した**」と言う。

「やっぱり人はゴシップが好きじゃないですか。人の不幸は蜜の味って言うように、嘘がない転落ドキュメンタリーはメシウマだと思うんですよね。当時の自分はドン底で、ここから這い上がるしかないって状態。だったらもう**リアルな生活と連動させて、プライドを捨ててとことんさらけ出して、再生数を稼いで返金に回そう**と思いました」

ゴシップであり続けて飽きる間を与えず、1つ前の話題をかっさらう。大きな炎があるなら、それを上回るゴシップで塗り潰した。

とはいえ、リアルな生活と連動させたドキュメンタリーで人を惹きつけるストーリーを描くのは難しい。事実ゆえにコントロールできない部分があり、予測不可能だからだ。場合によっては言い分が二転三転しているように見えてしまい、信用を失いかねない。

そして何より、生の自分を見世物にする心理的ハードルが大きい。**美しいストーリーが「理想の自分を描くもの」なら、生々しいストーリーは「現実の自分をえぐるもの」だ。**自分という商品をセール品にして、人目に付く値下げコーナーに置くような行為で、プライドなんて持っていたら絶対にできない。

当時のてんちむは、ＡＶデビューも検討していたと言う。

「破産以外だとＡＶデビューって選択肢もありました。でも、ＡＶ男優のしみけんに『レーベルから私のＡＶが出たら、いくらになります？』って聞いたら思ったような金額じゃなくて、やめたんですよね」

私が口をパクパクさせて「え、金額次第ではＡＶ出ました？」と聞くと「出たと思いますよ」と即答し、あっけらかんとしている。

「詐欺師だのなんだの言われまくってイメージが最悪だったんで、なんかもう**自分の**

未来とかどうでもよくて、今を乗り越えることに精一杯だったんですよね。もともと私って目的達成のための手段をいとわないタイプだし、別にＡＶに対する偏見もないし、返金できれば何でもいいですって感じで。私の目的は返金することで、そのためにはでっかい返金額を稼げるまでてんちむを生かす必要があって、だったらでっかい話題性が必要だよねって考えです」

目的達成のために手段を選ばない姿勢からは、感情が抜け落ちている。「だって返金するには自分を売るしかないですよね」と言わんばかりだ。本人も「道化になるしかない」と言ったように、自分を商品化し、物のように扱っている。

道化になったてんちむの一挙一動はめでたくＹａｈｏｏ！ニュースになり、注目を集め続けた。

炎上対応のゴールを「多くの視聴者が納得すること」とするなら、てんちむの行動は正解だった。その正解を掴み取るために、数億の返金費用を背負い、視聴者の道化になり、自分の未来を「どうでもいい」と割り切って、私生活を見世物にした。当時26歳の女性が、である。

てんちむは芸能界を引退しても、個人ブログやプライベート写真がネット掲示板にさらされ、何度も炎上してきた過去を持つ。**望もうと望むまいと『てんちむ』というコンテンツは消費されてきた。だから自分自身をコンテンツとして割り切る。**

はたしてこれは〝正しい〟のだろうか。

人そのものがエンターテイメントコンテンツとして消費され、正誤判断されるSNS社会の深淵が見える。

プロなら黙って〝がんばってますアピール〟

てんちむに「炎上対応で一番大事なことは？」と問うと、「誠意ですね」と返ってきた。凄みを感じたのは「ただ、」と続いた言葉である。

「炎上に限らず、誠意は口だけじゃなくて行動で示さないと意味がないって思ってます。言葉って簡単に言えるからあんまり信用していなくて、行動が全てだと思うんですよね。お金を返すっていうのも当たり前なんですけど、**当たり前ができない人もいるから、ちゃんと行動してやり切れば評価されるんです。**
だからインフルエンサーとして**誠意ある行動をちゃんと発信する**ようにしました。やっぱり視聴者にとってはＳＮＳの情報が全てなんで、認知されなきゃやらないのと同じです。『〝自分がんばってますアピール〟ってちょっと痛くない？』って思っちゃうんですけど、仕事だったら話は別。動画上で誠意を見せてアピールしました」

その言葉どおり、てんちむは返金に向けて行動する姿を動画で発信し、本当はやりたくない〝自分がんばってますアピール〟をし続けた。タワーマンションを引き払ってワンルームのアパートに引っ越し、ハイブランドの洋服やバッグを売り払い、ついには睡眠時間2時間で週7日勤務のトリプルワークを始める、という転落ドキュメンタリーが次々に展開された。

「最初は返金額も検討がつかなかったので、返金しますって宣言は賭けでした。**賭けに勝つコツは自分に余裕を作らないこと。**人間関係を断ったり、小さい家に引っ越したりして過酷な状況を作れば作るほど、周りの目も気にする余裕がなくなるし、その環境から脱却したくてがむしゃらに行動するから、結果として成功しやすくなるんです。だから感情を殺して転落しました」

発言自体は筋が通っていて間違っていないのだが、成功するために自分を追い込むのはまだしも、人間関係まで断つというのはすさまじい。炎上後のてんちむには多くの人から「大丈夫？」「話聞くよ」といった連絡が相次いだが、稼ぐのに忙しく暴露騒動で人間不信にも陥っていたため、できるだけ人に会わずサポートも断って仕事に没頭した。

過酷な状況に自分を追い込んだうえで、頼れる存在も次々に切っていく。熱量があるのにどこか冷めているてんちむの目は、こうした行動の積み重ねで生まれたものなのかもしれない。

さて、転落ドキュメンタリーで重視したのはわかりやすさである。

「炎上直後の動画では、ひたすら『お金に困って切羽詰まったらこうなるよね』って思えるわかりやすい行動をしました。ブランド品を査定やメルカリに出したのもそう。

十数万円の服だって数万円の値がつけばいいほうで、まとまったお金が稼げるわけではないけど、お金に困ったらブランド品を売るじゃないですか。誠意を見せつつ、切羽詰まっている様子を伝えるために売りました」

これらの転落行為を映した動画はわかりやすくキャッチーだ。タワーマンションからアパートへの引っ越し動画「**炎上中、ガチで家を失った**」では、荷造りからカメラを回し、新居紹介も行った。高層階から1階になり、テーブルは段ボールになり、高級ベッドは布団になり、一日で転落が伝わる光景が次々に映される。「あのてんちむがこんなところに住んでいるのか」と驚くばかりである。

家については淡々としていたてんちむだが、ブランド品の売却は名残惜しかったようだ。選定中に「うわぁ〜いやぁ〜だあ！」と叫んだり「はぁ…」とため息をついたりと、大いに葛藤していた。旅立つブランド品を睨みながら口を尖らせたり真一文字に結んだりと、露骨に「手放したくない！」と語る表情が悲痛な出来事をエンタメに昇華していて、ユーチューバー根性が感じられる。

元食費30万の現在のウーバーイーツ食生活

ウーバーイーツの食費30万が送る1週間食生活

「衣」「住」とくれば、「食」の転落も欠かさない。

てんちむの人気コンテンツの1つが〝ウーバーイーツ生活〟だ。ウーバーイーツが日本に広まり始めた2020年2月に公開した動画「**ウーバーイーツの食費30万が送る1週間食生活**」は、2023年時点で約500万回も視聴されている大ヒット動画である。当時はまだウーバーイーツが真新しく、**都内のタワマンでスウェット姿の20代女子が月30万円分の高級デリバリー弁当**を連日モグモグしている動画は、気になる要素がてんこ盛りだった。

炎上後は「**元食費30万の現在のウーバーイーツ食生活**」と題し、前半は炎上前にタワマンで約3000円の高級弁当を食べる様子を、後半ではアパートでマクドナルド、吉野家の牛丼、おにぎり2個などのリーズナブルなメニューを食べる様子をまとめた動画を出した。月30万円だったウーバーイーツ代は1万円にな

り、動画のサムネイルできちんと金額落差をアピールした。

タワマンであれアパートであれ、てんちむは黙々と食べる。高級弁当でもファストフードでも、バクッとかぶりついてモグモグ食べる。メニューや環境のギャップは大きいはずなのに、そこにいるてんちむは何ら変わらないように見える。

なんだか見ていて気持ちいいのは、むき出しの生命力が感じられるからだろうか。淡々としているが食べっぷりがいいてんちむの咀嚼姿には、長いトンネルを粛々と走り抜けそうな気配がある。

プライドも肩書も捨ててからが最強

過去に依存しないから、誰にどう思われてもいい

返金希望者の数が増え続け、2億2000万円の貯金を手放しても返金の見通しが立たなかったてんちむは、より多くを稼ぐための最適解を選び続けていた。それがリアルな転落ドキュメンタリーでより多くの人におもしろがられることだった。

転落した生活をここまでさらけ出すのは簡単ではない。知り合いはもちろん、約150万人もの視聴者が「タワマンに住んでいるお金持ちの人気ユーチューバー」というイメージを持っているなかで、ワンルームに引っ越し、ブランド品を売り、ファーストフードを食べる様子を公開するのだ。普通はプライドが邪魔をするだろう。

私生活をさらけ出すことに慣れている人気ユーチューバーでも、てんちむほど投げ打った行動ができる人は見たことがない。実際、てんちむの新居に撮影で訪れたユーチューバーのほとんどが「えっ、本当に住んでるの？セカンドハウスじゃなくて？」

と本気で驚き、疑っていた。今でも「あれはヤラセ」と信じていない人も多いが、特定されるまで本当に住んでいた。（ポストにガムをつっこまれるようになり、身の危険を感じてからはアシスタントのしんちゃんの家で過ごしていた）

炎上前は「クリーンなイメージをつけたい」「キラキラしている自分も見せたい」といった思いもあったが、ユーチューブ活動を再開する前に「プライドは捨てる」と自身に約束した。

「炎上で転落するって、だいぶかっこ悪いじゃないですか。私だって炎上前だったらプライドが勝ってたかもしれないけど、返金額が大きすぎてプライドがどうとか言ってる場合じゃない。誰に何を言われようが誠意を見せて返金しててんちむを生かすって決めて、自分の全部をユーチューブに売ったときに『**よく見られたい**』『**こういう自分になりたい**』**みたいな憧れやプライドは全部捨てたんです**。

話題になって再生数が伸びて、返金するお金も稼げたからメンタルを保てた部分もあります。仕事第一で生きてきた私にとって、てんちむの死は橋本甜歌の死。**お金やプライドより、ファンや信頼を維持しててんちむを生かすほうが大事でした**」

過去への執着心のなさも、プライドを捨てられる理由だった。

「**私は過去に依存せず、キャリアを捨てる勇気があるんですよ。**小学生で天才てれびくんに出演していたけど、SNSのプロフィールに『元てれび戦士』とは書きたくない。出演できたのはうれしいけど、小学生時代の肩書きを語り続けるのは過去の栄光にずっとしがみついてる感じがして嫌です。

芸能界を引退するときも周りから『めっちゃ後悔するよ』って散々言われましたけど、未練はありませんでした。**自分が築き上げた過去よりも、なりたい自分で今を生きたいし、過去を超えられる自分でいたい。**もったいないからってキャリアを捨てられない人が多いなか、サクッと捨てられるのは自分の強さだと思ってます」

「肩書きに依存しないようにしよう」と思っても肩書きや栄光が大きいほど捨てるのは難しく、なかなかできないものだが、てんちむは「過去の栄光を守ること」に興味がなく「なりたい自分になること」を欲した。なりたい自分になるためなら、過去の自分が積み重ねてきた実績も肩書きも、丸めてゴミ箱に捨てられる。

「てんちむを死なせる」か「橋本甜歌を捨てる」か

自己プロデュース力を生かし「自分をどう見せたらいいか」を理解して行動に移していることを「あざとい」「計算高い」と感じる人もいるだろうが、**てんちむのすさまじい行動力の裏には一般女性・橋本甜歌の逃れようがない絶望がある。**「求められないよりは求められたほうがいい」という価値観のもと、橋本甜歌を殺してきた。

てんちむは炎上から復帰するにあたり、「**てんちむを死なせる**」か「**橋本甜歌を捨てる**」の2択から「**橋本甜歌を捨てる**」を選んだ。ユーチューブを引退し、2億2000万円の貯金を支えに橋本甜歌として暮らす道もあったが、橋本甜歌のプライベートを捨ててでてんちむの仕事にフルコミットする道を選択したのだ。

当時の心境は、インスタグラムの裏アカウントに綴られている。取材中にポンと送られてきたのだが、読んだ瞬間にぎゅっと心臓を掴まれ、言葉が出なくなった。この文章を読んで、てんちむの炎上対応を「計算高い行動」と言うには代償が大きすぎると思った。

炎上から2週間、鎮火の空気は微妙。
無人島生活*1 3日目、ユーチューブ撮影復活。

この炎上のときに私が思っていたのは、てんちむを死なせて全身整形して別人として生きるか、プライベートを全部捨てて仕事に本当に全ての魂を売るかの２択。

きっと両方幸せじゃない。と言うか、この先ずっと幸せじゃない。でも何しても茨の道だから受け入れてあきらめるしかない。

1/5
炎上から２週間、鎮火の空気は微妙。
無人島生活3日目、YouTube撮影復活。
この炎上の時に私が思っていたのは、

大麻の件*2では手マンとか性のことまで言われてんのがマジキモい。おまけに突っ込まれたく無かった体型とか、一部にはどこ脂肪吸引したとか知られる訳だし、知られたくないプライベートが知られてしまうのが本当無理。

詐欺師だの言われてるけど、報道が早く周りすぎたせいで世間の認識は詐欺師

＊1　復帰直後、禊企画として無人島生活をし、撮影していた
＊2　プライベートのLINE画像が流出し、薬物使用疑惑が出ていた

だし、今後私と出会う旦那も子供も詐欺師の妻、子供とか言われて可哀想。もし、そうならなくても私が嫌だ。

だから私はてんちむを捨てたい。過去も詮索されず別の誰かとして生きたい。

てんちむを死なせても、てんちむの面影があったり誰かにバレて伝わったら努力が無駄になる。でもうまくいけば、自分が言わない限り誰にも過去がバレないし、第二の人生として生きやすそう。

だけど、一生分暮らせるお金もない。そして返金額は多額。だから別人になってさらに綺麗になって男んちを転々として養われていきたい。

でもまぁ今無人島来てる時点で、てんちむをフル活用する選択を選んだんだけども。

私がユーチューブを続けるには覚悟がいる。今回の炎上で思ったことは、想像以上に私は人に嫌われたくないと思っていたらしい。

今までファンが多くて、ちょっとの誹謗中傷で病んでたり再生回数やコメントの治安でメンタルが日々左右されてたけど、ここまでくると私が恐れてた「嫌われ者」になり、嫌われ者だからいいやと何事も吹っ切れる訳だ。

吹っ切れるまでいけたら、メンタルは安定してる。**辞めて別の人生歩むか、バッシングを受け入れながら突き進むかの２択。**やることは目に見えてるから、割と簡単。

病んでそうって心配をされるけど、自分でもびっくりするくらい想像以上に冷静。

てんちむと橋本甜歌がいて、今までは５：５～７：３とかのものが、完全に片方死んだ（どっちが死んだかは自分でも分からない）。てんちむを橋本甜歌が操ってる感覚。

でも、ユーチューブを続けるのなら、私には覚悟がいる。

汚い過去が公になった今、人を好きになるのは苦しいからしないし、プライベートは変なプライドが出ちゃうから要らないし、この子になりたいなって憧れを持っても苦しいだけだから辞める。

既に今趣味の漫画を読んで感情移入しても、どうがんばっても自分が悪役側で、見てて罪悪感が沸く。

でも続けるのだ。逆を言えば、今まで私に興味ない人も私に興味を持つのだ。ここまでバッシングされてて、保守的になっていつも通り同じ企画を再開したところでオワコン化するだけだ。

なら、**炎上商法と言われるものをやって、今のバッシングも全て生かして、私を死なせててんちむを生かして、道化として生きて最後の金稼ぎをするしかない。**そして上がるときが、次があるのなら、そのときに別人に生まれ変わる。

この文章を読んだとき、あまりにも心を引きずり込まれて「この本を自分で書くのはやめようか」と思った。光と闇のコントラストが強く、抗えない引力がある。本当に絶望しながら生きる覚悟をしたから書ける文章だ。

取材でのてんちむは、目的達成思考の理論を筋道立ててサラサラと答えていたので、こんなに壮絶な葛藤とあきらめの果てに立っていたとは思わなかった。「プライベートよりも仕事を優先してきたから人の目を気にしなくなった」と答えていたが、「恐れてた『嫌われ者』になり、嫌われ者だからいいやと何事も吹っ切れる」ことでさらに人

無人島に取り残された女のガチサバイバル【完】

＊25：00で実際にこの文章を書いている瞬間のてんちむが映るが、とてもこんな文章を書いているとは思えない

目を気にしなくなったのだ。

ぜひこの文章を読んだ後に、無人島生活の動画を見てほしい。野生児のようにドロを体に塗り、手づかみで捕まえたバッタを揚げて食べ、漂流してきたウコンの缶を使って小麦粉を練ったチネリ米を作り、木の棒に巻き付けてパンを焼いて食べていたてんちむが、夜ひとりで寝袋にくるまり、こんなことを考えていたのだと思うと――なんだかたまらないのである。

確かに、ときおり伏せる目元には影があった。それでもガシガシと草木を踏みしめ、てんちむを全うしている。

別人格を作り、感情を飼い慣らす

てんちむは「**橋本甜歌はてんちむが嫌い**」と言う。

橋本甜歌のもともとの理想は、〝てんちむ〟とは真逆の〝万人受けする正統派女性〟だった。仕事の人格である〝てんちむ〟とプライベートの人格である〝橋本甜歌〟が相容れずにせめぎ合い、**てんちむの成果を出すために橋本甜歌の感情を殺す選択をしてしまう。**橋本甜歌というプライベートの人格を捨てて、てんちむという仕事に適したキャラクターに徹するのだ。これが人並外れた行動力の源泉になっている。

橋本甜歌の感情を捨てたきっかけは、小学生時代の写真集撮影だ。天才てれびくんで〝てんかりん〟として愛されるようになり、水着の撮影もすることになった。当時は児童ポルノ禁止法の定義が今より曖昧で、過激な撮影も比較的容認されていた。

「小学生の私でも、子供が好きな男性向けに撮影しているんだろうな、フェチとかエロを含む写真なんだろうなってわかって、めちゃくちゃやりたくなかったんですよ。でも『いやだ』って言ってもやめさせてくれないし、仕事だからやらなきゃ終わらないし。そのとき初めて自分の心を割り切った気がします」

てんちむの割り切りは幼少期からの仕事で小さく蓄積されていき、やわらかな心に宿っていた感情はないがしろにされ続け、現在の超合理主義に至っている。それを進化と呼べばいいのか、悪化と呼べばいいのか。

もちろんいいこともある。〝てんちむ〟と〝橋本甜歌〟は分離しているが、同じ人物なので相互作用する。「今の自分はてんちむが8割作ってくれた。てんちむのおかげで自分に自信を持てる。自信が欲しいときはおまじないのように『私はてんちむだから大丈夫』と唱える」と言う。

「仕事をしているときは〝てんちむ〟だから、めちゃくちゃ自己肯定感高いんですよ。ユーチューブは毎日再生数が出る仕事で数字にメンタルを振り回されることはありますけど、〝てんちむ〟ってインフルエンサーを作り上げられたから『てんちむを好きじゃない人ってセンスないよね』ってくらい自信があります」

これまでの波乱万丈な人生で「感情にとらわれないほうが仕事しやすい」と痛感したてんちむは、感情を吟味する前に切り捨て、橋本甜歌の絶望を抱えながら上に向かってひた走ってきた。橋本甜歌の絶望が深いほど、てんちむは力を増す。これが哀しくも稀有な逆境力になり、再起力になり、何度でも底から這い上がってくる力になった。

「クズな私の何がわかるんだ」無人島での決別

合理主義の白黒思考で最短距離を突き進むてんちむだが、本来は感受性豊かな人物でもあり、理性と感情のギャップが大きい。大炎上の対応しかり、どれだけ大きな感情が押し寄せて発狂しても、次の瞬間には超合理的な判断ができるのはなぜか。

「やらなきゃいけない仕事がない限りは、自分の感情に素直に行動してるんですよ。感情に基づいてゴールを決めて、そこに向かって合理的に判断します。豊胸の炎上は『申し訳ないし情けないから絶対に返金したい』って感情に基づいて、返金するために一番効率的に稼げる選択肢を選びました」

てんちむが強いストレスを感じるのは、感情が理性の枠を超えて、合理的に判断できず時間を無駄にしているときだ。よくそうなるのはてんちむより橋本甜歌の自我が強い恋愛中で、てんちむという破天荒なキャラクターが理想の彼女像とつながらず、本人の中で葛藤が生まれる。

本人も「恋愛は一般的な理想像にとらわれやすいから苦しい」と語る。

「仕事を優先するために大事な人はなるべく作らないようにしていました。大事な人がいたら、炎上して世間にバッシングされる自分は恥ずかしくて見られたくないし、振り切って行動できないんですよ。

だから炎上中も友達からの連絡には返信せず、好きな人とも距離を置きました。プライベートの人間関係を薄くして人から悪く思われても大丈夫なメンタルを作って、仕事で結果を出すのを最優先しましたね」

世間からバッシングされまくったら、普通は大事な人を頼るだろう。泣き言を吐けるパートナーが欲しいところだが、てんちむは心の拠り所を捨ててさらに過酷な戦地に単独で乗り込む。なぜそこまで振り切るのか。

「甘える余地を残さないために1人でいることを選びました。そうじゃないと結局人目を気にしちゃうし、女になっちゃう自分もいるんで、とことんプライベートを捨てて振り切りました」

プライベートを捨てなくても仕事はできるが、自分をエンタメコンテンツにしているてんちむにとって、プライベートの橋本甜歌は仕事の足かせになる。

元恋人の溝口さんは「甜歌は責任感があるからこそ、責任を負いたがらない」と述べる。強い責任感ゆえに〝仕事を全うできないてんちむ〟にも〝恋愛を全うできない橋本甜歌〟にも心底嫌気が差し、自己肯定感が下がってしまうのだ。

実際、炎上直後のてんちむは当時好きだった男性と距離を置いた。連絡を返さず、相手から「避けている」と思われる行動を取った。あらゆるものを捨てて「絶対に結果を出さなきゃいけない」と自分にプレッシャーをかけたと言う。

そのときの心境は、てんちむの裏アカウントに記録されている。この文章を読むまで、てんちむはサバサバと男性を切って捨て、奔放に振り回しているのだと思っていた。

無人島から帰った。

炎上前まで関係を持った人と、軽く仕事の内容含め、電話してた。

体の関係だけで割とどうでもいい部類って私の中で思ってたけど、そんな人からも

「かわいいね」とか「好きだよ」って言われると死ぬほど苦しくなるのはなんなんだろうか。

私が私を好きじゃないからなのか、気持ち悪い私を好きなお前が気持ち悪いのか、

そもそも可愛く見えないから身体醜形障害なのか、こんな終わってる私と関わってても貴方の価値が下がるからって思ってるからなのか、ただフォローされてるだけで恥ずかしい気持ちがあるのか、分からないけど苦しい。

なんか前にもあったなぁ、愛されるって私は凄く苦しい。今は特に、愛される

と苦しい。

愛されてる場合じゃないからなのかな。炎上してなかったらまだ絡んでたかな。どうでもいい相手になら愛されてなんぼって思ってたけど、そんな相手にすら愛されるのがしんどすぎる。

今、この一瞬に甘えたら私は崩れるんだろうな。それで本当にダメになるんだろうな。ダメでもいいんだよって居心地の良さに溺れるんだろうな。

会いたいとか思っても会ったところで何も生まれないし、惨めになるだけなんだろうな私が。会いたいって思っても、今こんなクズみたいな私だから関わったところで突き放しちゃうんだろうな。

私、心底、彼氏がいなくてよかった。子供もいなくてよかった。迷惑かけるのが申し訳ないけど、まだ家族だけでよかった。**大切なものを作ると、失ったり手放さなきゃいけないときが苦しいからよかった。**相手に迷惑いったらやだなって、仕事の人には本当沢山迷惑かけちゃってるけど、プライベートでそういう人がいなくてよかった。

「皆、てんちむが無邪気なのが見たいんだよ」って、お前に私の何がわかるんだ。

本当の私なんて私ですら分からないのに、誰が何を分かるんだ。

復帰したところでうまくいかなかったら恥ずかしすぎるから全部捨てて消え去りたい。プライベートを捨てて仕事まで捨てたら私に何も残らない。

あの子みたいになりたいなって思っても、もうやり直しがきく歳でもないし、こんなニュースになったら上書きする方が大変だし、そもそも愛されてない。愛してないから愛されてない。でも稀に愛されるのも苦しい。

何も知らない外国に行って外国人と付き合いたい。**こんな世界で生きるのやだな。**

お金があっても幸せじゃないことは分かったけど、じゃあ何なら幸せになるんかな。

無人島行って帰ってきたら色々幸せって思うのかなって思ったけど、言うて変わりはない。

美貌も、お金も、人気も、全て手にしてのし上がってきたてんちむの、この押し寄せる絶望は何なのか。どれだけの光を放っても、ほの暗いあきらめをいつも背負っている。どうもそれが炎上のときだけとは思えない。炎上のときだけなら「どうでもいい相手にになら愛されてなんぼって思ってた」なんて屈折した考えは出てこない。愛を恐れるのは「ダメな自分を受け入れられたらダメになる」と語るてんちむが、誰よりも自分を受け入れていないからだ。ダメな自分を受け入れるくらいなら、愛なんていらないと拒絶している。

ダメな自分を超えようとするてんちむと、ただ幸せになりたい橋本甜歌がせめぎ合う。その摩擦が消える直前の線香花火のように爆ぜ、絶望の淵で彼女を掻き立てる。

大炎上を追い風にするてんちむ理論

てんちむは逆境に強すぎる。プライベートの人格である橋本甜歌を捨ててまで仕事に振り切り、ドン底から這い上がる生命力は常軌を逸している。てんちむの行動にはいくつかの原理原則があり、それが逆境力の礎になっている。

大事なものを作らない

てんちむに「5億円もの返金を自分で背負う決断力はどこから来るのか」を問うと「いろんなものを捨てられるから」と返ってきた。やみくもに捨てるのではなく、得るものと失うものを天秤にかけ、得るもののほうが大きいと思えば迷わず捨てる。**捨てる勇気があるから、決断する勇気がある。**

「得るものが少なければ現状維持でいいやって思うんですけど、『時は来た！』って本気で思う瞬間があって、そういうときは全賭けします。炎上はまさにそうで、ここをクリアするためなら何を失ってもいいって思えるでっかい山でした。これを超えたくて超えたくてしょうがないって思ったら、何を失ってもいい。全部捨てられます」

橋本甜歌の感情も大事な人との関係も、全部捨てられる。正確には、プライベートより仕事を優先して、他人と距離を置くことで、捨てられる環境を整えてきたのだ。てんちむは「**良好な人間関係を作るコツは適度な距離感**」と断言する。人間関係の衝突を嫌い、ぶつかるくらいなら「合わない」と判断して離れる。仕事最優先のドライなプロ意識も加わり、強固な距離感を守った。

「特に仕事相手の場合は仕事を円滑に進めたいので、嫌いにならないためにプライベートの付き合いはせず、友達にならないようにしています。撮影以外で会ったり、プライベートの話をしたりすることはあまりないし、プライベートのいざこざで共演NGになったりするリスクを極力減らしたいので干渉しません。

人間って距離が近くなるほど相手に甘えちゃうし、許せないものが増えると思うんですよね。ほどよい距離感だったら『この人はこういう人だから』って受け入れられるし期待しないから、わざわざ議論して喧嘩をすることもないじゃないですか」

適度な距離感を維持したほうが相手への寛容さを保つことができ、より多くの人と良好な関係を築ける。炎上直後のてんちむには多くのユーチューバーからコラボ依頼が殺到した。知名度狙いのユーチューバーからではなく、すでに十分な影響力を持つトップユーチューバーからである。

「普通は炎上したらいったん距離を置かれると思うんですけど、復帰を発表してすぐに『よかったらコラボしよう』って応援してくれて。うれしかったですね」

自腹返金を選択したてんちむは好感度や再生数が右肩上がりになっていた。ほかのユーチューバーからすると、てんちむを助けることがプラスに見える状態になっていたことも大きい。

コラボ相手はヒカル、ぷろたん、シバター、エミリン、レペゼンフォックス、ラファエル、上原亜衣、ゆきりぬ、宮迫博之、ヘラヘラ三銃士、朝倉未来、青汁王子、スカイピース*と、錚々たる顔ぶれだ。チャンネル登録者数は延べ数千万人にもなり、さらに知名度を上げた。

＊敬称略

コラボ動画では、大量のゴキブリを頭上から落とされ密室に閉じ込められたり、疑いをかけられていた薬物検査に連れていかれたりと、かなり露骨で過酷な企画をやらされているが、全力でやり切っている。

アシスタントのしんちゃんはこう語る。

「甜歌は守るものをあまり作りません。守るべきものなければ決断力もパフォーマンスも上がるじゃないですか」

そして「パフォーマンスが落ちるのは恋愛しているときですかね」と笑った。てんちむは「ブロックしたり縁を切ったりするのは距離感が近くなり過ぎた人なんです」と呟く。

「感情的になってぶつかることが多いから、ほどよい距離感で相手を受け入れて円満な関係を維持したいんですよね」

人と親しくなりすぎず、恋愛も避ける「できるだけ大事なものを持たない生き方」

はさみしくも見える。皮肉にも、それが逆境に打ち勝つ振り切った行動につながっていた。

「どう思う？」ボットになる

尋常ならざる逆境力は度胸からも育まれている。てんちむは「〝何が起きても対応できる自分〟でいられるように、いつも最悪のケースを考えている」と言う。

「追い込まれても自分のメンタルが崩れないようにしておきたいんですよ。最悪のケースさえ考えていれば、どんなにピンチになってもテンパらないんですよね。ちょっと嫌なことがあっても想定内だから大丈夫だと思えるし、肝が据わります」

最悪のケースにも対処するためあらゆる人に意見を聞き、思考に柔軟性を持たせた。てんちむが「これどう思う？」と四方八方に聞きまくる質問マニアであることはよく知られているが、賛成派と否定派の意見を両方聞く素直さがある。

自分以外の意見も受け入れることで、1つの物事に対して多面的な見方ができる。

そして**想定されるリスクを自分の意向と照らし合わせて最終的な決断を下す**ことで、逆境にも怯まない行動力が生まれた。

柔軟性を鍛えようと思ったきっかけは、ユーチューブのコメント欄だった。

「10代の頃は、自分がAだと思ったら『Bの意見は意味わかんない』って毛嫌いしたこともありました。でもユーチューブでは本当にいろんなコメントが来るんで、自分の発言にこんな考えを持つ人もいるんだ、こんな捉え方をする人もいるんだって思い知らされたんですよね。その瞬間はすごいモヤモヤするんですけど、よくよく考えると『この人の立場に立てばBって意見もわかるかも』って思えるようになって、視野が広がったんです。意見が違う人の気持ちがわかると、無駄に衝突しなくなるし、相手を否定せず受け入れられるようになりました」

「どう思う？」と聞きまくるてんちむにはオーバーリアクションによる愛嬌があり、**自分の感情を人に伝導させる力**がある。アシスタントのしんちゃんは「愛嬌でいろんな人をぶん回している」と笑う。

「いい意味でも悪い意味でも自己中に人をぶん回せる理由は、愛嬌だと思います。普通だったら『すみません、これちょっとお願いしたいんですけど…』って頼むところを、甜歌は『これお願いしたいんだけど！え、マジ？ありがとう、うれしい!!』って感情むき出しで喜ぶんで、憎めないんですよね。懐に入るのがうまいです」

炎上時の謝罪でも、多くの人に「この謝罪文、どう思う？」と質問しつつ「私、ヤバいんだけど!!」と自分のピンチを大いに伝えた。てんちむと10年以上の交流がある経営者の桑田龍征さんは「素直に応援したくなった」と言う。

「ファンがついてる人はオーバーリアクションなんです。てんちむも笑うときはめっちゃ笑うし、怒るときはガッと目を吊り上げるし、とにかくよく顔が動く。飛び跳ねたりのけ反ったり、体の動作も大きいです。オーバーリアクションってわかりやすいし人間らしい親近感が生まれるから、安心できるんですよね。

ピンチになると塞ぎ込む人が多いけど、**ピンチのときこそいろんな人に相談して、アドバイスしてもらったりサポートしてもらったりしたほうがいい。**てんちむはそれができるから生命力があるんです」

また、この「どう思う？」が**他人の意識を自分に向けて巻き込む求心トリガー**になっている。てんちむは「ブランディングを見直すのはもはやルーティーンなので」と言う。

「自分以外の人に自分の良いところと悪いところ、直したほうがいいところを聞いて全部言ってもらうんです。１００％鵜呑みにするわけじゃなく、〝なりたい自分〟と重なった部分だけ取り入れます。自分の判断が合ってるかの最終チェックとして、人に相談します」

てんちむが自身について相談することで、相手はてんちむのイメージを脳内で膨らませる。「**想像→助言**」により、**てんちむの物事が多少なりとも自分事化され、身内のような仲間意識が醸成されていく。**

人には、何かしてあげた相手を好きになる性質があり、「好きな人は助けるもの」という認知により「助けた人＝好きな人」と捉える。また、利他的な行動は幸福度を高める効果もある。てんちむの相談に答えると、自然とてんちむへの好感度が上がるとともに「人のための行動をした」という幸福度も高まるのだ。

涙は損切りのサイン

それでも想定以上の最悪な事態が起き、思わぬ逆境に立たされることはある。てんちむはどうなるかというと、普通に号泣したり発狂したりしている。〝何が起きても対応できる自分〟はどこいった？となるが、**立て直すのが異常に速い**。

てんちむは順調に返金が進み好感度が上がってきたタイミングで、再びユーチューブ配信でイメージダウンにつながる過去を暴露され、当時返金額を稼ぐために働いていた銀座のクラブでトイレに駆け込み大号泣した。クラブでてんちむの担当を務めた黒服・平出さんは「**わ、やっちまったぞ**」と焦ったと言う。

「クラブの営業中に、炎上の火種になったユーチューブ配信があったんです。天華さん（てんちむの源氏名）はスマホを見て『やばいやばいやばい』ってガタガタして、

20分くらいトイレに籠って出てこなくなっちゃって」

てんちむは「死に物狂いで持ち直してきたところなのに、これ以上暴露が続いたらがんばれない」と心折れかけた……が、それはわずか20分ほどの出来事であった。

平出さんは「今日はもう上がりましょう」と声をかけたが、てんちむは「指名のお客様がいらっしゃるので、最後までやります」と強く首を振った。

「席に戻ってからは、いつもどおり明るく振る舞っていてさすがでしたね。さっきまでトイレで発狂していた人とは思えませんでした」

当の本人は「ずっと泣いているわけにもいかないじゃないですか」と言う。

「接客中で指名のお客様をたくさん待たせていましたし、そもそも私の目的は返金だからここで心が折れたら返金できない。泣こうが喚こうがやらなきゃいけない状況なのに変わりがなくて、だったらもうやるしかないって割り切ったというか。ある意味あきらめだと思います」

てんちむにとって泣いている時間は〝非効率的で無駄な時間〟だった。高級クラブのトイレで泣いていたてんちむは「泣いたところでどうにもならん」とあきらめて、華やかなフロアへと戻っていった。

炎上後の一連の流れを見ていると、てんちむは「あきらめて辞める」ではなく「あきらめて**成功させる**」ことであきらめを強みにしている。あきらめにより行動の足かせになる感情や人間関係を切り捨て、ドン底にいる自分を上へと引きずり出す。

いつあきらめる力がついたのか聞くと、やはり小学生で芸能活動を始めてからだと言う。芸能界で培った割り切る力は、あきらめる力とイコールだ。

「やりたくなくてもやらざるを得ないことや、くやしいって思うことが多かったから、あきらめ上手になったのかもしれないですね。さっきの写真集撮影の話とか、オーディションに落ちたときとか、嫌でも切り替えなくちゃいけなくて。こういう場面では、あきらめることと切り替えることってたぶん一緒なんですよ。あきらめるって**受け入れる**ってことでもあって、**受け入れる**ことで**切り替えられる**んです。

あきらめずにがんばり続ければ絶対手に入るなら継続しますけど、世の中に〝必ず〟とか〝絶対〟はほぼないと思ってます。だから自分で『ちょっとこれは違うかも』と違和感を持ったら、わりとすぐにシフトして損切りします」

短期的にはあきらめて辞めているが、それからもっと効率的な手段を探すため、長期的にはあきらめにより成功させることも多い。

ただ、つらくて泣いている時間を〝非効率的で無駄な時間〟と捉えるのはかなりドライだと感じる。それだけつらければ「たとえ成功するとしてもやらない」と思いそうなものだが、てんちむは「成功するならやるしかない」と考え、感情より成果を優先させた。「ちょっとこれは違うかも」と損切りするのも、つらいときではなく成果が出ないときだ。

幼少期の仕事で「いやだ、やりたくない」と言ったときに「いやならやらなくていいよ」と言われていたなら、あるいは大人の都合をくみ取らずただの子どもでいれたなら、自分に対してここまでドライにはならなかったかもしれない。今ほどの成功はなかったとしても、もっとやさしい「涙の損切り」ができた気がする。

ピンチは早食いせよ

炎上商法という言葉があるとおり、炎上は注目度だけ見ればとんでもない広告効果があるが、吉と出るか凶と出るかわからないハイリスク・ハイリターンの賭けで失敗するリスクのほうが高いため、炎上商法を好むインフルエンサーは少ない。率先して炎上商法を行うのは、好感度を求めない〝無敵の人〟ばかりだ。

てんちむも求めずして炎上したが、不利な賭けに勝った。わかりやすい言葉で言えばピンチをチャンスにしたのだ。

「ピンチになると落ち着くまで大人しく待つ人も多いと思うんですけど、**ピンチをどう活用するかが大事**だと思うんですよね。ピンチはスピード勝負。炎上がニュースになって注目されたときに、返金とか転落とか話題になる行動をどんどん見せたからチャンスにできたんです」

スピード勝負に勝つ瞬発力を持つには、やはり逆境に強い精神が必要だ。アシスタントのしんちゃんによれば、てんちむの逆境力は断固たる目的意識と達成欲から来ていると言う。

「甜歌がなりふり構わず行動するのって、何らかの目的があるときなんですよ。たとえば平均再生数をこれくらいにするって目的があったら、そのためにどうしたらいいかを考えて、出てきた答えを実践します。

返金もそうで、返金するって目的を達成するためには数億円必要で、数億円稼ぐためにはトリプルワークしたほうがいい。そうやって逆算して、ひたすら行動します。『絶対にこうする』っていう強い達成欲が、逆境に負けないメンタルになっていますね」

「どんな手を使ってでも返金したい」と切望し、ピンチを逆手に取った。降りかかるピンチに応戦しなければ、喰われて終わる。**「喰われるくらいなら喰ってやる」と迷わず手を伸ばす達成欲を持つ者だけが、ピンチを喰らってチャンスにする。**

さて、炎上による転落ドキュメンタリーでてんちむは地に落ちた。いよいよピンチを喰らう快進撃の始まりである。

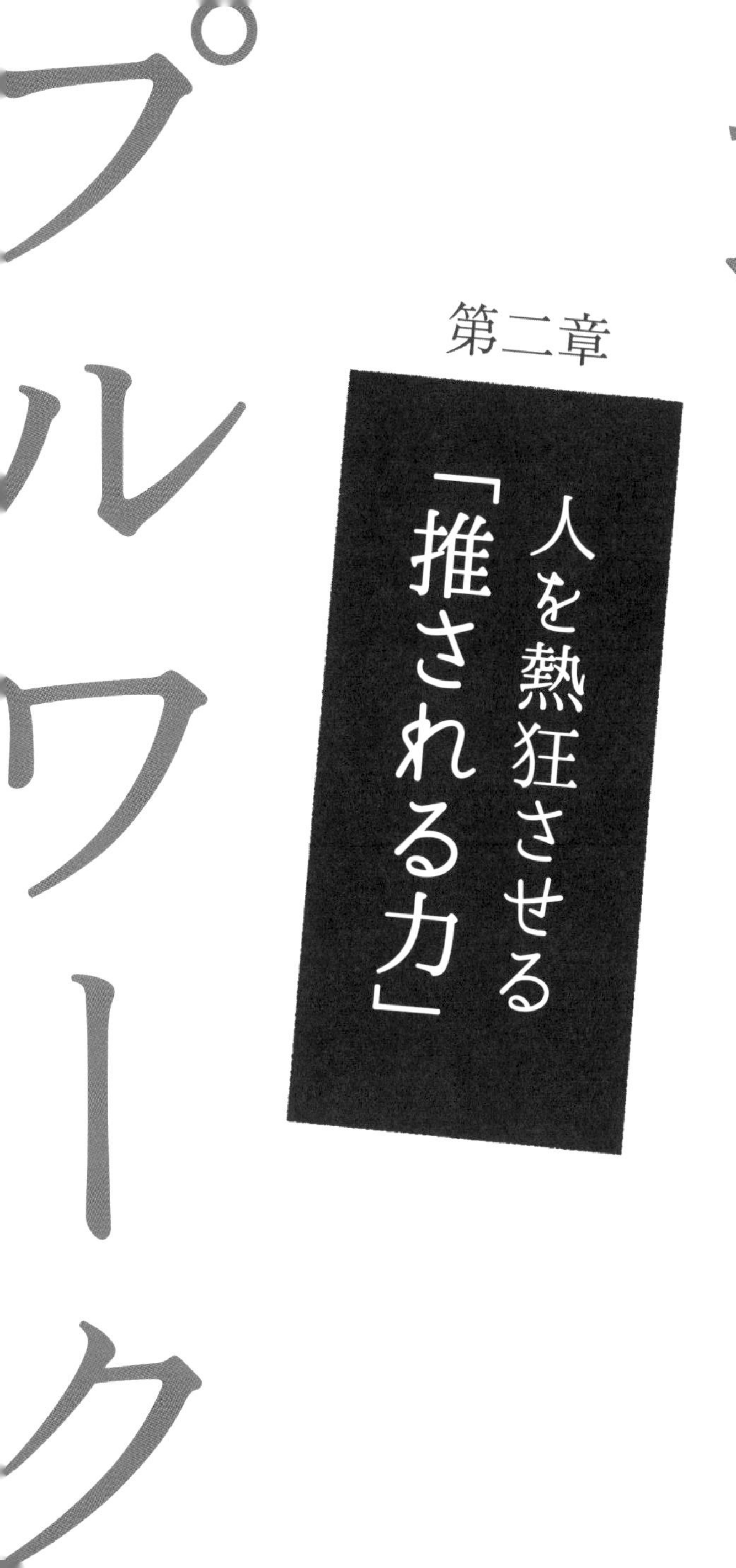

第二章

人を熱狂させる「推される力」

炎上後に積み重ねていた〝がんばってますアピール〟の真骨頂は、誰もが**反対した週7日のトリプルワーク**だ。ここでてんちむを推す人が爆増し、動画のほとんどが高評価になり、圧倒的な集客力と集金力を持つ〝推されるインフルエンサー〟に上り詰めた。

インフルエンサーの知名度と人気は比例しない。ユーチューバーの場合、知名度が動画の再生数につながることはあっても、イベントの集客力にはつながらない。動画視聴は無料だがイベント参加はお金と時間がかかるので、集客するには一定以上の人気が求められる。

そして、その人気が熱量を帯びると〝推し〟になり、集客力に加えて集金力も上がる。ファンが意欲的にお金を使うようになるのだ。てんちむのトリプルワークでは多くのファンがてんちむの元へ足を運び、信じられないほどお金を使って彼女を推した。

さて、いったい何が起きたのか。

2時間睡眠で週7日のトリプルワーク

〝週7日トリプルワーク〟の前身となったのは、炎上後にシリーズ化した**職業体験企画**である。月30万円も払ってウーバーイーツを頼んでいたてんちむが、ウーバーイーツの配達員になったり、居酒屋バイトをしたり、SM嬢になったりと、さまざまな職業体験をして働いた分だけ時給をもらい、稼ぎながらお金のありがたみを知る――という禊企画だ。

「炎上後の動画は私のリアルな生活と連動させて返金の進捗を伝えていましたが、毎日更新していたので毎回進捗を出せるわけじゃなく、職業体験企画はお金と絡めた定期コンテンツとして作っていました」

ラブホテルの清掃員、メイド喫茶のメイド、レンタル彼女、男装ホスト……動画受けがよく珍しい職業を選んでいたこともあり、おおむね好評だった。

そして炎上から2か月後の2020年11月、職業体験した銀座の高級クラブ『クラブNanae』と、六本木のショークラブ『バーレスク東京』で働くことを発表。**1日2時間睡眠で週7日勤務するトリプルワークをスタートした。**

休みなしのトリプルワークを決めたのは、莫大な返金額が明らかになったからだ。

てんちむは返金を決めてすぐに貯金していた2億2000万円をメーカーに支払っていたが、到底足りなかった。返金を発表してから2か月で累計4万件の問い合わせが

あり、**推定返金額は4億にまで膨れ上がった**のである。（メーカーへの手数料も含めると5億円以上）

さらに損害賠償金が発生する可能性もあり、早急に2億円以上を稼がなければいけない状態に追い込まれた。すでに頭金を支払っていたマンションを購入する余裕もなくなり、頭金をキャンセル料として支払って手放している。

てんちむは返金額を稼ぐため、体験した職業から「出来高制で稼ぎやすく、視聴者が見ていて楽しい動画にしやすい職業」を選び、働くことにした。それが高級クラブのホステスとショークラブのダンサーであった。まさかこれほど返金額が膨らむとは思っておらず、職業体験企画を始めた段階では想定していなかった展開だった。

トリプルワーク生活は、てんちむ以外の全員が「**できるわけない**」**と反対した。**日中はユーチューバー、平日夜（20～25時）はホステス、土日夜（18～23時）はショーダンサーというハードすぎるスケジュールに、誰一人として賛成しなかったのだ。

アシスタントのしんちゃんも「アルバイトもしたことがないのに、いきなりトリプルワークは無茶」と止めたと言う。

「ユーチューブを毎日投稿するだけで大変なんだから、ホステスかショーダンサーかどっちかにしなって言いました。だって甜歌って今まで普通に働いたことがないんですよ。それでろくに睡眠時間も取らず、ホステスとかショーダンサーとかプロ意識が高い仕事をするのは、周りに迷惑をかけるからやめなって止めたんです」

その言葉を聞いたてんちむは、もちろん反対を押し切って決行した。しんちゃんは当時を振り返り、軽く笑う。

「甜歌は『いや、いける！』の一点張り。いっつもそう。僕が反対しても、甜歌がいけるって思ったらもうそれを押し通すから、どんだけ反対しても意味ないんですよ」

「私は絶対にできる」と確信していたてんちむは、全員に反対されて「**誰も私の覚悟を信じてくれないんだな**」とショックを受けたと言う。

「みんなに『トリプルワークするにしても土日くらい休まなきゃ体が持たないよ』ってすごい言われましたけど、休んでいても『働きたい』って思うのが目に見えていたから2時間睡眠のトリプルワークを選びました。本当にお金を返さなきゃいけないってときに、ゆっくり休んだりしなくないですか？　時間を無駄にしたくないし、遊んだりゆっくり寝たりする時間があるなら、その時間に働いて早く返金したかったですね」

実際にトリプルワークをしてどうだったか聞くと「眠くてしんどくて、コンディションは常に最悪」と答えた。

「夜に2時間くらい寝る時間があって、あとはスキマ時間の仮眠だけ。でも自分がやるって決めたんだから、どんだけコンディションが悪くてもやるしかないですよね。それに**早く返金するって意味では、ベストコンディションで休み休み出勤するより、バッドコンディションでも毎日働くほうが100倍誠実**じゃないですか。そういうところから誠意を伝えて、自然と『てんちむはがんばっているんだな』って思ってもらえる状態まで持っていきました」

ブラック企業社員も青ざめるような言葉を、飄々と言いのける。

とはいえ、そこまで急ぐ必要はあったのだろうか。見通しが立たないまま2時間睡眠の生活を送るのは不安すぎる。無理に週7日勤務しなくても、てんちむがユーチューバー・ホステス・ショーダンサーの3本柱で働き続ければいずれは返金できるはずだ。

それでもてんちむが急いだ理由は、やはり話題性だった。

「確かに時間をかければ返金はできると思います。でも炎上の話題性は日に日に落ちていくから、それがもったいなかった。話題性がないと、人もお金もなかなか集まらないんですよ。人から注目されているうちにバーッと話題をかっさらって働いたほうが、短期間で返金できるじゃないですか。

それに、ここまで炎上したら『喰われるぐらいだったら喰う』ぐらいの勢いで攻めないと、批判に負けちゃう。もし私がちんたら働いていたら、評価されなかったんじゃないですかね」

てんちむの予想どおり、スピーディーに返金状況とトリプルワークについて伝えた動画「破産寸前になりました」は、高評価が5.4万、低評価が1.8万と、高評価率が7割を超えた。

破産寸前になりました

つい2か月前まで〝詐欺師〟と言われて大炎上していたてんちむは、返金を終える前に〝応援したくなる誠実なインフルエンサー〟になっていた。

「私なら絶対いける」と狂信する

異常な直観力

それにしても、てんちむの「いや、いける！」は異常だ。推定返金額が4億だなんて言われたら卒倒しそうなものだが「2億足りないから、毎日休まずトリプルワークだ」と即逆算して行動するのだから恐れ入る。

てんちむの知り合いは「『私ならできる』と思い込む力がヤバすぎる」と口を揃える。ホストクラブ7店舗を経営し年商26億円を達成した桑田さんでさえ「てんちむの突発的な行動力には敵わない」と舌を巻く。

「思い立ったら即行動っていうスピードが早すぎますよね。個人で活動しているから一人で始められるっていうアドバンテージもあるんだけど、それにしても早い。**自分なら成功するって思い込む力がずば抜けて高い**気がしますね」

てんちむも「これね、いけるんですよね。いけるって圧倒的な自信が持てるものは、絶対にいけるんです」と「いける」を連呼する。小さな成功の積み重ねが絶対的な自信になり、異常な直観力になっていた。

直感は9割近く当たるという研究結果があり、プロ棋士も直感で次の手を打つという。直感はなんとなくの当てずっぽうではなく、これまでの膨大な経験と知識による高速の判断だからだ。幼少期から人前に出てオーディションを受けたり、演者としてテレビに映ったり、ブログやユーチューブで自己発信してきたてんちむは「何が受けたか」「何が受けなかったか」を山ほど経験し、鋭い直観力を養った。

てんちむを全国区の人気者にした『天才てれびくん』のオーディションも、はっきりとした直感が働いたと言う。

「当時の天てれオーディションは大体4～5次審査まであったんですけど、私は2次審査ですぐ合格しちゃったんです。2次審査の時点でスタッフが10人いて、参加者は私1人だけっていう超特別待遇で、2次審査が終わってすぐママに『私、絶対合格すると思う』って断言しました。オーディションの最中から審査員の反応がよくて、自分もめちゃくちゃ堂々と受け答えできて『あ、これ絶対合格するわ』って手応えがあったんですよ。それから自分が『絶対いける』って思ったものは絶対うまくいきます」

天才てれびくんへの出演は、てんちむのインフルエンサー人生の起点でもある。天性の華を発揮した大きな成功により、小学生にしてあらゆる活動の基盤となる自信を獲得した。

中学生でカリスマブロガーになったときも、最初に「絶対に私は人気ブロガーになる」という直感が走った。プライベートのブログがネット掲示板にさらされ続け「だったらビジネスに変えてやろう」と開き直って始めたことだったが、これまでのトライ&エラーによる直感が「絶対にいける」と知らせていた。

「芸能界を引退して一人の女の子としてブログを書きたかったんですけど、周りがそうさせてくれなくて『仕事にするしかないか』ってあきらめたんですよね。私が人間の感情を捨ててビジネスに振り切ったら、絶対上にいけるって予感があったんです。本当にブログが成功してから、その予感が確信に変わりました。

私の『**絶対いける**』って**自信**に『**絶対欲しい**』って**執着が掛け合わさる**と、マジで**最強**なんです。今回の炎上もそう。私なら絶対に返金できるって自信と、絶対に世間からの見方を変えてやるって執着でこれだけがんばれたし、成果も出せたと思います」

中学2年生でブログを立ち上げてからわずか1年後、中学3年生にして月60〜100万円を稼ぐようになる。ここからは天性の華に加えて、振り切ったビジネス脳による成功が増えていった。

本人は感覚的なものだとも言うが、成功のメカニズムはおよそこの3ステップである。

①みんながやっていない希少性が高いアイデアを出す（話題のユーチューバーが、会いに行けるクラブで働く）

②成功確率を上げるために、色々な人からマイナス意見をもらう（トリプルワークによる体調面のリスク、パフォーマンスの質）

③アイデアをブラッシュアップして実行する（針治療やエステの利用、徹底した深夜練）

「行動する前に不安要素を消して、失敗するイメージが湧かないくらいに解像度を上げます。いろんな人に『こうしたいんだけど、どう思う？』って連絡して、客観的な成功確度と、やめたほうがいいって思う不安要素を教えてもらうんですよ。それから対策を考えて成功確度を上げることで、絶対いけるって自信が大きくなります」

第三者への相談で〝てんちむ〟を客観視してから走り出すことで、着実にゴールへとたどり着く道筋を描く。

当時、取引先代理店のパートナーであった澤田さん*は、炎上後のユーチューブ動画について相談されていた。

「てんちむさんは相談する前にやりたいこと・伝えたいことを明確に決めているので、僕らが方向性を決める感じではないです。『こういうふうに思ってこんな動画を作ったんだけど、どう思う？』って公開前の動画を見せてもらって『この部分は削ったほうがいいんじゃないですか』くらいのコメントをしました」

てんちむは相談相手のコメントをそのまま丸呑みするわけではない。「そういう意見もあるのか」と理解したうえで、取り入れるかどうか判断する。精度の高い判断力は、表仕事で鍛えた他者のニーズを捉える観察力と、強い目的意識による達成欲で成り立っている。

元恋人の溝口さんは、てんちむの**白黒思考が思い込む力や突発的行動の起爆剤に**

＊後にてんちむ CH のビジネス担当として正式なパートナーに。

なっていると述べる。白か黒かで物事を捉え、グレーの余地を残さない。グレーだと即決できず行動力が落ちるからだ。

「甜歌はどの道を選んでも最終的に成功してきたので、確信が強いんですよ。フワッとした根拠や仮説でも、それを強く思い込める。白と決めれば白だし、途中で黒と思えば黒に変えられます」

強く思い込みつつ、違うと思えばすぐに方向転換できる柔軟性もてんちむの特徴だ。軌道修正が可能だからこそ、どちらかを選んで即行動できるのだろう。間違えたらすぐに変えればいい。

「途中で意見を変えるのは恥ずかしい」と思わずに前言撤回して意見を変えられるのは、これまで気の赴くまま行動してきたてんちむに長期的な信念がなく、「人間は変わるもの」と考えているからだ。意見を変えるのが恥ずかしいという概念があまりないと言う。

「とりあえず今はこれでいい（ダメだったら変えればいい）」と思えたら、フワッとした考えでも根拠のない自信を持てるものなのかもしれない。根拠のない自信は、迷ったときのお守りになる。

短所は長所で塗り潰す

自信を持つには、自分の短所と長所を理解しなければならない。

「**自信を持てないのは、現実とかけ離れた理想を持ってるから。**私も自信がないときは『なんで自信持てないのか』を深掘りして、明確な理由を探すんですよね。大体は何かしら足りない部分があるので、**まずは短所を潰す努力**をします。コミュ力に自信がないなら鍛えるし、体型に自信がないならダイエットすればいいし、顔に自信がないなら整形すればいいし。身も心も最上級の自分でいることを目指します」

てんちむはトリプルワークでも短所を潰すべく努力している。ショークラブ『バーレスク東京』のショーダンサーとしてダンスを覚える際も、振り入れは早いが定着させるのが難しかったため、体が覚えるまで何度もダンスを繰り返した。深夜のダンス練習はもちろん、家でも歯磨き中まで自主練していた。

「本番の舞台上で真っ白にならないか不安になりましたけど、本番はもう自分を信じるしかないから、これだけ練習したんだから大丈夫って思えるくらい必死で練習しました」

元働きたくない代表、てんちむの一日密着

仕事が終わった0時過ぎから、朝まで練習している

そうは言っても、なんでもかんでも気合いで直せるわけではない。「顔に自信がないから整形します」とショッピング感覚で美容外科に行くのはおすすめできないし、内面を変えるのには時間がかかる。

てんちむが努力で直せない場合にどうするかというと、すっぱりあきらめて長所に目を向けるそうだ。

「人間向き不向きがあるんで、努力しても違和感があったりストレスを感じたりして、思うようにいかないこともあるじゃないですか。**そういうときはあきらめて、短所を潰すより長所を伸ばすことにコミットしますね。**第二の策を考えておけば立ち止まらずに成長できるんで、ダメだったら長所探しに切り替えます」

長所を探すには、自分の深掘りが欠かせない。かなり感覚的に見えるてんちむだが、他人に「どう思う？」と質問して他己分析したり、自問自答して自己分析したりと、〝てんちむ〟をじっくり深掘りしている。

この取材でも、1を問いかけると10返ってくるので驚いた。取材では質問に答えられない人も少なくない。いざ「〇〇はどう思いますか？」と聞かれても言葉が出てこないのだ。たとえ自分のことであっても「あなたの強みは何ですか？」と聞かれてすぐには答えられないように、ふだんから自問自答していないと思考は深まらない。「相当自己分析しているな」と感じた。

てんちむが次から次へと言葉が出てくるのは、ブログやユーチューブで常に自分の考えを発信して心をさらけ出してきたことの恩恵でもある。自分を解剖し切っているから、淡々と長所と短所を切り分け、場面に応じた〝てんちむ〟を再構築できるのだ。

「誰にでも絶対長所があるから、まずそれに気づくのが大事。たとえば私は空気を読むのが得意だし、どんな人の前でも自分らしくいられます。短所があっても長所がわかれば、その長所を生かして行動して成功する機会も増えるし、最終的には自信を持てるようになります」

その言葉のとおり、てんちむは空気を読みながら自分らしく振る舞うことで、ホステス・ショーダンサーとしても信じられないほどの成果を出す。

夜の銀座にバケモン登場

炎上ギャルはキャバ嬢よりホステス

返金の問い合わせが4万件に及び、推定金額が4億だと言われたてんちむは「貯金だけではどうにもならない。ユーチューブ活動に加えて『バーレスク東京』のショーダンサーは絶対にやろう」と即決した。

「**1年以内に絶対返したかったので、絶対に続けられる仕事を選ぼう**と思って『バーレスク東京』を選びました。動画撮影がＯＫで、動画の見栄えもよくて、体験動画の再生数が良かったからです」

迷ったのはもう1つの仕事だ。クラブにするか、キャバクラにするかの2択で悩んだ。いずれも女性の憧れがあり、動画化しやすく見栄えがいい。

最終的にホステスを選んだ理由は、差別化と意外性だった。

「ショーダンサーをする『バーレスク東京』は六本木にあってかなりギラギラしているから、キャバクラと場所やイメージが被っちゃうんですよね。あと、私がキャバクラで働くのはそんなに違和感がないけど、銀座でホステスやるのは意外じゃないですか。私もホステスのほうが仕草とか言葉遣いを学べて成長できるし、港区じゃ知り合えない人と出会って新しい人脈も作れるかなと思って、体験動画でお世話になった『クラブＮａｎａｅ』でホステスデビューしたんです」

てんちむは世間からの見え方をとことん客観視する。てんちむ×ホステスの意外性だけでなく、ユーチューブ×ホステスの意外性も考慮した。

「その頃、キャバクラのユーチューブ動画はそこそこあったけど、ホステスさんの動画ってあんまりなかったんですよ。銀座のクラブってなったらもっとレアじゃないですか。見ている人も『てんちむ、銀座のクラブでちゃんと働けるの？動画にしちゃって大丈夫なの？』ってハラハラ感を楽しめるし」

金額だけを考えれば、クラブよりキャバクラのほうが稼ぎやすい。クラブがチーム戦なのに対して、キャバクラは個人戦。クラブだと客がてんちむにお金を使っても、その客の担当が別のホステスであれば、てんちむにはお金が入らない。

多額の売上を叩き出すであろうてんちむの身入りが多いのは〝六本木のキャバクラ〟だったが、てんちむは〝銀座のクラブ〟を選んだ。返金至上主義だったのに、なぜか。

「手っ取り早く稼ぐなら六本木のキャバクラがいいと思いましたけど、動画的におもしろいギャップを作るなら銀座のクラブのほうがいいなって。どうせ私が働いたらネットニュースになるんで『本当にてんちむがクラブで働けるのか？』って興味を掻き立てようと思いました」

とことん自分を商品にしている。「**どうせ自分は銀座のクラブで働けるようなイメージを持たれていないだろう**」と考えているところが、かなり客観的だ。

銀座のクラブに足しげく通い、てんちむを応援したホストクラブオーナー・桑田さんも「やっぱり銀座で良かったと思いますよ」と頷く。

「〝てんちむ〟とのギャップがあったのは銀座なんですよ。てんちむって子供っぽい部分があるから周りのホステスさんと差別化できてたし、見ていておもしろかったです。あと、てんちむにはお客さんが殺到するから全然席につけないんですけど、クラブは団体戦だからほかのお姉さんたちが代わりにフォローしてくれます。キャバクラだったら個人戦であんまりフォローしてもらえないので、クラブのほうが働きやすかったと思います」

てんちむは金額より見え方を優先しつつも、稼ぐための調整も怠らなかった。『クラブＮａｎａｅ』のオーナーである唐沢菜々江ママに給与条件の交渉をしたのだ。

「自分だけ特別扱いされるのも嫌で『バーレスク東京』はほかの子とほぼ同じ条件で働いたんですけど、ホステスは人によって時給とかバック率とかの条件が違う仕事なので交渉させてもらいました。週5日勤務する場所だからしっかり返金額を稼げるようにしたくて、検討していたキャバクラの条件をママに伝えて『キャバクラだとこういう条件なんですけど、どうですか』って相談しました」

チャンネル登録者数150万人のユーチューバーとなれば、集客力は絶大だ。広告塔として雇うメリットはある。

お互いに納得できる条件に着地して、源氏名・愛天華として働き出したてんちむは、それはもうとんでもないくらいの成果を出していく。

初日1000万円超の〝愛天華伝説〟

炎上から2か月後の2020年11月、『クラブNanae』と『バーレスク東京』でのトリプルワークが始まった。どちらも初日からてんちむ指名の客が押し寄せ、連日満席になった。

『クラブNanae』でてんちむの担当を務めた黒服・平出さんは「**銀座にバケモンが来たな、と思いました**」と笑う。

「こんなに売上を立てる人は見たことがないですし、たぶん今後も現れないと思います。初月から最後まで、銀座のベテランママも顔負けの売上を出し続けていました」

初出勤の様子を収めた動画「**クラブ初出勤一日密着―夢、叶える―**」では、てんちむのただならぬ覚悟が窺える。表情が硬く、殺気立っているようにも見える。
出勤前にヘアメイクや着付けをしている間「気合いだけ入っててもしょうがない」「口でいろいろ言うよりも、結果や姿勢で見せるしかない」「てんちむすごいぞって思わせるしかない」「銀座で愛天華伝説を作る」といった強い言葉を何度も口に出し、自分にプレッシャーをかけ続けていた。

クラブ初出勤一日密着
－夢、叶える－

「リスキーな私を受け入れてくれたお店の方にも、視聴者の方にも、てんちむはすごいと思わせたかったですね。やっぱり口でいくら言っても行動で示さないと伝わらないものだし、『できるわけない』って批判を蹴り飛ばしたい気持ちもありました」

『クラブＮａｎａｅ』は会員制高級クラブだ。内装5億円の店舗は、1階に2メートルの巨大シャンデリアが輝き、壁一面に高級ワインが並ぶ。2階に上がると真っ白なグランドピアノの音色が響き、3階には豪華絢爛を極めたVIPルームがある。

有言実行のてんちむは、出勤初日からエントランスを祝花で埋め尽くし、一番大きいVIPルームを貸し切った。大理石の壁とカッシーナのテーブル、バカラの特注シャンデリアが壮麗な部屋でオーダーされたのは、最高峰のワイン・ロマネコンティである。**カッシーナのテーブルには、ドンと1000万円が積まれた。**

ロマネコンティはてんちむがホステス業の目標として掲げていた一番高いお酒であり、初日にして目標を達成した。

無事初日の仕事を終えたてんちむは、帰宅後に感極まって「本当に本当にありがとうございます」と感謝の言葉を述べながらボロボロと泣いた。この字面だけ読んだ人は、華やかなホステスがドレス姿で涙を流し、ハンカチで目元をぬぐっている姿を想像するかもしれない。

しかし、実際のてんちむはスウェット姿で結った髪をグイグイほどきながら「メガウルトラギガマックスありがとうございます」「今の私が愛されるのは苦しい！」「不安もあるけど気持ちで負けてちゃやっぱダメ」と情緒がジェットコースターのマシンガントークを炸裂させ、こぼれた涙をスウェットの袖でゴシゴシ拭っている。

正直、炎上後の返金発表や転落ドキュメンタリーなど成果最優先の行動には「どこまで自分を殺して目的を優先するのだろう」と畏怖していたが、この涙はてんちむの人間らしさが感じられて少しほっとした。

本人は「一安心してのうれし涙だった」と振り返る。

「プレッシャーがでかすぎて。炎上があれだけニュースになってなかったらここまでプレッシャーは感じなかったんですけど、動画で『絶対に結果出します』って公言したのに結果を出せなかったら死ぬほど恥ずかしいから、本当にお客様が来てくれるか不安でしたね。

想像以上の人が来てくれて目標のロマネコンティが入って、炎上してから初めて『私を応援してくれる人がこんなにいるんだ』って思えて、そのギャップにうれし泣きしました。泣かないって決めてたんですけど」

華やかなルックスに、人間臭い親近感。このギャップが、**煌びやかな場でいくら稼ごうとも推され続けた理由だろう。**

今会いに行ける時事ニュース

売上はもちろん集客力もバケモン級で、1つのテーブルに30秒もいられないほど多くの指名客が訪れた。

『クラブＮａｎａｅ』には著名人やインフルエンサーもよくゲスト出勤しているが、どれだけバズったライバーもティックトッカーもＡＶ女優も、てんちむの集客力には及ばない。

てんちむは「**知名度＝集客率は嘘**」と言い切る。

「誰でも知っているくらいの知名度があっても、コアな強いファンがいるとは限りません。私に強いファンがついてくれたのは、**炎上からの返金騒動を社会現象っぽくして強い興味関心を持ってもらえるようにしたから**です」

てんちむの転落ドキュメンタリーは単なる炎上事件に終わらず、自腹返金を宣言してからの引っ越し、ブランド品売却、節約生活、職業体験、そしてトリプルワークと大きくＶ字を描くストーリーになっていた。

トリプルワークはまさに再浮上するＶ字回復過程であり、その再起を後押ししたくなった人や、トレンドのストーリーに参加したくなった人、今後を見届けたくなった人などが続々と訪れた。**当時のてんちむは〝今会いに行ける時事ニュース〟だった。**

『クラブＮａｎａｅ』でてんちむ以外のインフルエンサーも多くサポートしてきた平出さんは「**間違いなく過去一の集客力**」と太鼓判を押す。

「高級クラブなので『来てね』と声をかけても実際に来店する方はほんの一握りで、大体は集客に苦戦するんです。でも、天華さんは黙っててもポンポン来てもらえました。店が空いている日は『じゃあ呼ぶね』って何人かに声をかけて、すぐに席を埋めるんですよ。みんなに愛されていて、応援してくれる人の数が圧倒的に多いんでしょうね。どんなに有名な方でも彼女ほどは集客できないと思います」

てんちむは宣言どおり、銀座に伝説を作った。途方もない集客力や売上は、てんちむの話題性や応援したくなるストーリーあってのものだ。ほかの人が真似しようと思っても、あの壮絶な炎上からの再起を上回るストーリーはそうそう作れないだろう。

てんちむは「**働き出してから1週間は話題性によるボーナスで、2週目からが勝負**」と気を引き締めていたが、連日満席の快進撃は続いた。体を張って週7日のトリプルワークを続ける誠意が多くの人の応援したい気持ちを醸成し、炎上インフルエンサーから推されるインフルエンサーへと進化させたのだ。

……と美しく締めたいところだが、**てんちむはトリプルワークが軌道に乗ってきたタイミングでもう1回炎上している。**目を覆うばかりの「まさか」であった。

まさかの再炎上

野放しにされた中学生ブロガー

再炎上したのは、トリプルワークを始めてから約3か月後に起きた脱毛サロンのPR案件である。契約してから9か月後に料金を後払いできる脱毛サロンについて、インスタグラムのストーリーに「9か月間0円」と表記してPRしたところ「あたかもタダで脱毛ができるように思わせる悪質な広告だ」と炎上した。

今回は炎上後の対応もよくなかった。この話題を取り上げたユーチューブ配信で、てんちむが「当然、9か月0円で脱毛ができるとは思ってない。本当に0円だと騙される人はいない」と主張したことが開き直りと捉えられ、火に油を注いだ。

この出来事には、もともとの大炎上とつながる問題が潜んでいる。ここまでの経緯を読んで「てんちむはこれだけ誠意を持って必死で返金しているのに、なぜそもそも豊胸を隠してバストアップ商材をPRしたのだろう」と不思議に思った人もいるだろう。

問題の根幹は、脱毛サロンPRの炎上後にてんちむが公開した謝罪文から伺える。

代理店さんから脱毛のＰＲ案件のご依頼を頂き、ＰＲ投稿を行う前に代理店さんに下書きを確認して頂きました。

その際、当初のご説明には無かった必須文言の記載指示があったため、その通りに記載をし、再度、代理店さんに下書きを送付して記載内容に問題がないことを確認頂いた上でＰＲ投稿を行いました。

その指定の文言が見ていただいた方に誤解を与える表現ではないかと考えず投稿したこと、また、自分の偏った考えから皆様を不快にさせるような発言をしてしまい申し訳ございません。

また、この件については弁護士さんを通して代理店さんと話し合いをしています。

当初はこのことが騒動の原因だと思っていたのですが、そこではなく**もっと根本の「モラルの欠如」が原因**だと気付きました。

私自身、中学生の頃から広告関係に携わらせて頂き、際どい広告も当たり前の感覚になってしまっていて、気付かなくなるまで私の感覚は麻痺していました。

そのズレた感覚から、当初はなぜこんなに騒がれているのかを理解出来ておらず、今まで気づけなかったこと、本当に恥ずかしく思います。

誤解を招くような案件をそもそも受けるべきでなかったです。申し訳ありません。

またこの件を取り上げていた配信にあがり、不機嫌な態度をとってしまったことに関して改めて謝罪をさせてください。

配信者さん含め皆様も私の「モラル面」について指摘したかったのだと思いますが、私は今回の案件について指摘されている部分だと思ってしまい、皆様が言いたい本質を理解出来ておらず、あのような態度になってしまい本当に反省しています。

また、**自分がそれを否と認めたらクリニックや代理店も否定することになるし、何よりその仕事を受けた自分を認めたくない**面も出てしまって、自己擁護に走ってしまったと思います。

凄く恥ずかしい姿を皆様に見せてしまったと思います。本当に申し訳ありません。

てんちむが説明しているとおり、誤解されやすい誇大表現を指定しているのは広告主の企業であったり代理店であったりする。広告塔となるインフルエンサーや芸能人は、指定された文言を使用しているのだ。

最初の無料期間を「０円」と表現し、実際に支払う金額が０円かのように見せるのは、ネット広告ではありふれた謳い文句である。とにかく広告をクリックしてもらって、その後にウェブサイトなり来店なりで口説こうという算段だ。

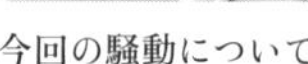

今回の騒動について

同じような文言で商品を宣伝しているインフルエンサーも山ほどいるが、豊胸を隠してバストアップ商材をＰＲして炎上したばかりのてんちむだったから、大々的に取り上げられて燃えたのだろう。

てんちむは中学生からブログでアフィリエイト広告を出しており、こうした誇大表現を歓迎するＰＲ案件に携わってきた。当時はもっと規制がゆるく、まだビジネスの常識を持ち合わせていない中学生のてんちむは誇大表現を「当たり前」と捉えてしまった。もちろん今回のように企業の大人から指定されたこともあっただろう。

「それまでＰＲ案件はクライアントに遠慮して『こういうふうにＰＲしてほしい』と言われたら仕事だからと受け入れていました。個人で仕事していたし、ユーチューバーと案件について細かく話すこともなかったから、ほかの人がどんなふうに仕事を受けているかもわかってなかったです」

誇大広告は、てんちむの仕事最優先ですべてを割り切る姿勢が裏目に出た例だ。仕事最優先の行動が思考停止になり、消費者を慮らないモラルの欠如になってしまった。

事務所に入っていれば事務所側がリスクマネジメントを行うケースが多いが、てんちむはほぼ個人で活動しているため、強制的に間違った常識が修正される機会もなかった。

「誇大表現を用いたてんちむが悪い」とインフルエンサーの自己責任にするのは簡単だが、裏にはそれを指示する企業があり、それを見逃している代理店や広告業界があり、抜け穴のある法律がある。インフルエンサー自身も知識とモラルを持って可否判断するべきだが、解決すべき問題の根本は裏側にもある。

何度燃えても干されない理由

てんちむに非はあれど、毎日死に物狂いで働く彼女をサポートしたいと思う人は多かった。ファンのみならず、身内にも〝てんちむ推し〟がたくさんいたのである。

『クラブNanae』の菜々江ママと黒服の平出さんは、その代表格だ。脱毛サロンのPRはクラブに訪れたお客様がてんちむに依頼した仕事であったため、動画「**てんちむさん（愛天華）さんの炎上について**」でお店側で目配りできず申し訳ないと頭を下げつつ、個人で活動しているてんちむにはリスク管理するメンバーがいない点を課題として述べている。

この件を経て、『クラブNanae』のお客様からてんちむに仕事の依頼があった場合は黒服の平出さんが

てんちむさん（愛天華）さんの炎上について

間に入り、いったん確認してから正式な返答をする形にした。

平出さんは「**天華さんはサービス精神が旺盛だから、場合によっては危なっかしい**」と述べる。

「できる限り相手の要望に応えようとしちゃうんですよね。ＰＲ案件の相談をするお客様も多く、彼女も炎上したばかりでＰＲ案件には消極的だったんですけど、お客様だから無下にはできませんでした。『商品を使ってみて、良かったらインスタグラムのストーリーで紹介してほしい』と商品をいただいて、好意で紹介していることもありました。実際にお仕事として受けたらお酒代以上のお金をいただくものだと思うので、天華さんのサービス精神でしょうね」

平出さんと菜々江ママも、口外しなければ脱毛サロンの炎上について「知らぬ存ぜぬ」を押し通せただろう。それでも自ら動画を公開してまで頭を下げたのは、銀座のホステスらしからぬてんちむのサービス精神と日々の努力を知っていたからだ。

てんちむは自身の炎上を「モラルの問題」と反省していたが、高い受容性も炎上の火種になっていた。相手の気持ちを察する能力に長けているてんちむは、クライアントに寄り添いがちなのだ。

もちろん**高い受容性は長所であり、てんちむが広告主や代理店から好かれる理由でもあるのだが、それが過剰なサービス精神になってしまい、自分の首を絞めることがある。**アシスタントのしんちゃんは「一長一短」と眉をひそめる。

「中学生のころから案件を受けて企業側の事情もよくわかっているから、良くも悪くもクライアントの気持ちを考えちゃうんですよね。でも表に出るインフルエンサーって、自分に一切非がないように行動するのも必要だと思うんです。やっぱり自分の名前を出してＰＲする以上、自分を信用して買ってくれる人がいるわけで、そこに対する責任が発生するじゃないですか。クライアントにはっきり意思を伝えたり、断ったりするのも仕事のうちです。

でも甜歌は、悪い意味で自分を〝商品〟として見すぎちゃってるから、クライアントに寄り添いすぎ。クライアントを悪く見せたくないし、みんなで気持ちよく仕事をしたいって思いがあるんですよ。そういう良かれと思っての行動が炎上しちゃってるんで、〝てんちむ〟ってブランディングを守る意味ではもっと自我を出したほうがいいと思ってます。今は僕が確認したり断ったりしてるんですけどね」

サービス精神旺盛で明るく振る舞うてんちむが裏では苦しんでいたことも、身内がサポートしたくなる理由だった。数々の炎上を重ねたてんちむは、ユーチューブのライブ配信で取り上げられるのがトラウマになっていた。しんちゃんは「配信で取り上げられるたびに、情緒不安定になって弱音を吐いていた」とぼやく。

「本当のこともあれば誤解もあって、甜歌が『これは言いたい』と配信に出ようとすることもあったんですけど、ガッチガチに止めました。『言ったところで言い訳に聞こえるし、デメリットのほうが多いから絶対出ないほうがいいよ』って何度も伝えましたね。実際、脱毛サロンの件は配信に出て、火に油でもっとメンタルやられてたんで」

平出さんも、店外のアフター後にベロベロになったてんちむが「**本当にもう〝てんちむ〟を辞めたい、海外で何も考えずに暮らしたい**」と弱音を吐くのを幾度となく目にしている。とても重いものを背負っている、と感じたらしい。

てんちむのとめどない行動力とあふれる感情を目の当たりにし続けた平出さんは、いつしかてんちむに強く共感するようになった。

「僕はもう、てんちむという人間には何でも共感しちゃうんですよね。もう洗脳されてるんですかね」

性別も立場もまったく異なる人間でありながら洗脳レベルで共感できたのは、強い仲間意識でつながったからだ。

最初に平出さんがてんちむについて「仲間意識がすごい強い子でした」と言ったとき、私は首を傾げた。仕事でのてんちむはレスポンスこそ早いものの、割り切りゆえのドライさがやや際立っていたからだ。正直にそれを伝えると、平出さんは小さく頷いた。

「相当、心を開かない子だとは思います。最初はビジネスパートナーとして話している感覚がありましたね。でも、1回距離がぐっと近くなった人に対しては本当に深い付き合いをしてくれるんです。

僕はいつも寄り添っていたので、だんだん信頼してくれるようになりました。お客様へのお土産代の10万円を『なくなったら言ってください』って渡されたり、しんちゃんとの打ち合わせに参加したり、彼氏を紹介されたり、仲がいい友達みたいな距離感になって。今はてんちむファミリーに入れたのかなと思ってます」

ギリギリのメンタルでトリプルワークをし、ママや担当黒服の手厚いサポートを受けていたてんちむだが、そんな彼女を先輩ホステスたちはどう思っていたのだろう？

平出さんは「あんまり大きな声では言えないですけど」と一呼吸おいてから、「**お店に入ってきた瞬間の天華さんを見るホステスの目は、いつもと違いましたね**」と苦笑した。

アンチに推されるには

ヤンキーに動物、ギャルに礼儀

入店当初、先輩ホステスはてんちむを遠巻きに見ていた。なんで銀座のクラブにユーチューバーを入店させるんだよ、てんちむって誰だよ、と。平出さんは冷や汗をにじませながら、ホステスたちの表情を見渡した。

「**銀座のクラブはホステスがプライドを持って働いている場所ですから、ユーチューバーが入店することへの反感はありました。**初めて出勤してきた天華さんをパッと見る目がやっぱり違っていて、ヒヤヒヤしましたよ。敵対視するっていうよりは、どんな子なのか探っていたんだと思いますが」

てんちむはどちらかと言えば港区っぽい派手なルックスなので、銀座のホステスからすると高飛車そうに見えるかもしれない。〝炎上した人気ユーチューバー〟という状況も、天狗になっていると思われた可能性はある。

てんちむに先輩ホステスの前評判について聞くと「あとから『よく思っていないお姉さんたちもいた』って聞きました」と飄々としていて、当時は気にならなかったようだ。

それもそのはずで、**てんちむは初日から悪いイメージを払拭し、好感度と信頼度を高めていた。**

好感度を上げた要因は、至ってシンプルにも礼儀正しいコミュニケーションである。平出さんは、ホステスのてんちむについてこう語る。

「天華さんって、しっかり挨拶できる子なんですよね。出勤したらみんなに『おはようございます、今日もよろしくお願いします』って必ず言う。挨拶は第一印象を決めますから、まずはそこが大事ですよね。

あと、ヘルプも手を抜かないです。やっぱり銀座で売り上げのある子はちょっと高飛車になって、ヘルプは適当にこなしちゃうこともあるんですよ。でも天華さんは『お姉さんに呼んでもらった席なんで、がんばります！』って全力なんですよね。そういう気取らない姿を見て、みんなが『めちゃくちゃいい子！』となったんだと思います」

ヤンキーが犬や猫にやさしくすると好感度が跳ね上がるように、ギャルっぽい女が礼儀正しくするとギャップ受けする。この理屈でてんちむは一気に親近感を持たれ、先輩ホステスとの距離が縮まった。

てんちむは「〝てんちむ〟ではなく〝愛天華〟（ホステスの源氏名）として働く」と決めていたと言う。これはホステスとしてのプロ意識でもあった。

「お店で〝てんちむ〟でなく〝愛天華〟として接してもらってる以上、一人のホステスとして働くと決めていました。炎上したばかりでイメージが悪い自分が銀座のクラブで働かせてもらうわけだから、絶対に失礼がないように、別のホステスさんの同伴やアフターに呼ばれたら行くといったことを徹底していました」

人気ユーチューバーのてんちむが、自分のお客様の同伴やアフターにも快く付き合ってくれるというのは、なかなか衝撃的だっただろう。「ほかのホステスさんに妬まれないようにですか？」と意地の悪い質問をしたところ、「それはないです」と一蹴された。

「何をリークされるかわからない状態だったので、絶対に変な噂が立たないように〝いつどこで誰にさらされても大丈夫な自分〟でいるよう心がけていました」

協力的に働いたことで、てんちむの好感度はぐんぐん上がっていった。先輩ホステスからのサポートを受けることも多かったと言う。

「やっぱり〝てんちむ〟として特別待遇してもらった部分もありましたね。普通は灰皿交換とかヘルプとかたくさんやると思うんですけど、お姉さんたちがほとんどやってくれました。その分、指名のお客様を楽しませるように働かせてもらいました」

ただ、夜の蝶がしのぎを削る高級クラブは、好感度だけで認められる世界ではない。てんちむが受け入れられた最大の理由は、群を抜いた売上で信頼度も獲得したからだ。

かわいいバケモンであれ

入店前、てんちむは菜々江ママに強気の条件交渉をしたため「何が何でも成し遂げなきゃ」と気負っていた。

「絶対にお客様を連れてきて売上を立てるから、初日からVIPルームを貸し切ってください」って啖呵を切って、自分にプレッシャーをかけていたんです。てんちむっていうネームバリューがある分、圧倒的な成果を成し遂げないと認めてもらえないってわかっていたので。

初日からロマネコンティが入って、お姉さんたちの目が変わったような気はします。本当にがんばりたいって思っている気持ちが伝わって、みんながだんだん認めてくれた感じがしますね」

平出さんも「初日のロマネコンティで、一気に一目置かれる存在になりました」と言う。

「銀座はかわいいだけで認められる世界ではなく、人間性も重視されます。がんばっている子を応援したいと感じる人が多いんですよね。初日から気合いを入れて出勤して、１０００万円超の売上を出した天華さんの一生懸命さが伝わっていたんだと思います」

「ユーチューバーになんて来てほしくない」と眉をひそめていたホステスたちも、１か月後には「てんちゃん、てんちゃん」と可愛がる〝てんちむ推し〟に変わっていた。

一方、業界歴20年をゆうに超える菜々江ママと美里マネージャーは終始態度が変わらなかった。返金に追われるてんちむを菜々江ママが採用し、美里マネージャーが指導している。

二人とも、夜の街で数えきれないくらいの女性を見てきた人たちだ。てんちむがバケモン級のホステスになることは、一目見た瞬間に見抜いていたのかもしれない。

生粋のエンターテイナーは営業要らず

空気を読まずオーバーにランウェイ

そんなバケモン・ホステスはどのように接客をしていたのか。

初日にいきなりロマネコンティが入り、1000万円の売上が立った秘訣が気になり、一体どんな営業をしたのかと聞いてみれば「直接的な営業したわけじゃないです」とあっさり首を振る。

炎上後の動画は何度もユーチューブの急上昇ランキングに入り、ネットニュースになっていた。トリプルワークについても情報が拡散されていたので、てんちむが営業せずとも「大変らしいね」と各所から連絡が入り、知人から紹介されたそうだ。

全体的に炎上してからファンになって訪れた人が多く、てんちむを知っていてもファンではなかった人もいれば、炎上のニュースでてんちむを知った人もいる。いずれにしても返金に向けての活動を見て応援したいと思うようになり、てんちむを推すために足を運んでお金を使った。泥臭い転落ドキュメンタリーで、確実に視聴者の心を掴んでいたのだ。

てんちむは「自分からガツガツ営業するのは苦手」と言う。**動画でしっかり話題を作って、入店直後から人が殺到する舞台を整えておき、一度来店したお客様がリピートしたくなる楽しい接客を徹底した。**

楽しい接客とはどんな接客か。担当黒服の平出さんに〝ホステス・愛天華〟の魅力を聞いたところ「彼女は生粋のエンターテイナーですね。華があって、テーブルに着くと一瞬でガラッと空気を変えるんです」とキャッチーなワードが返ってきた。

〝てんちむ〟らしいオーバーリアクションが、エンターテイメント性のある華になった。クラブでてんちむの太客になった桑田さんは「高級クラブでもてんちむはてんちむだった」とからから笑う。

「銀座の女ではなかったですね。てんちむって場の雰囲気に絶対飲まれないやつなんだなと思いました。銀座は、歌舞伎町みたいにお酒を入れてもらってめちゃめちゃ喜ぶ文化はなくて、『ありがとうございます』って普通に返す感じなんですけど、てんちむは『え！え！』みたいにめちゃめちゃ喜ぶ。ユーチューバーの仕事で得たスキルかもしれませんけど、**銀座らしからぬオーバーリアクション**がおもしろかったですね」

想定通り、あえてキャバクラではなくクラブを選んだことで、ほかのホステスとの差別化ができ、てんちむらしい魅力が際立った。

生粋のエンターテイナーっぷりは席に着かずとも発揮される。てんちむが歩くだけで、銀座のクラブはランウェイになった。平出さんはこう語る。

「ホステスは美しさも見られる商売なので、どのホステスも自分が一番美しく見えるポイントを押さえているんですが、天華さんは**いつ誰にどこから見られてもいいように３６０度全方位に意識を張り巡らせている**んですね。

歩き方が綺麗なわけじゃないんですけど、彼女は**お店をランウェイみたいに堂々と歩いて各テーブルに目を配り、誰かと目が合ったら必ず会釈してニコッとする**んですよ。視野の広さが群を抜いていて、『てんちむと一度喋ってみたいな』と心を掴まれたお客様もいらっしゃったと思います」

どの場所でも、てんちむを磁場とした引力が発動する。夜の社交場を闊歩すると、尾を引くように〝てんちむ推し〟の数が増えていった。

「瞬間洞察」で豪速球ストレート

視野の広さともつながるが、てんちむは感度が高い。瞬間的に察知する洞察力が異常に高いのだ。ホステスに限った話ではなく、ユーチューバーやブロガーなどインフルエンサーとしての才覚があるのは、人の思惑や感情を精密に読み取れるからだろう。**相手が欲しい情報や振る舞いを瞬時に理解して提供できることが、てんちむを生粋のエンターテイナーたらしめている。**

平出さんはてんちむの接客を見て「頭のスペックがとても高い」と感じたらしい。

「お客様のちょっとした仕草も見逃さないんです。指名のお客様の席でもヘルプの席でも『何をすれば喜んでもらえるんだろう』と常に考え、自分も楽しもうとする意欲も感じ取れました。お酒の席ではホステス自身も楽しむのが大事ですから」

仕事でてんちむとやり取りした人間は、彼女の的確で豪速なレスポンスに脱帽する。平出さんも驚いたそうだ。

「メッセージすると、数秒でポンポン返ってくるんですよね。彼女は1話して10理解してくれる子なので、最初と最後だけ話せば真ん中は端折っても伝わります。僕が途中まで話すと『ＯＫです、こうすればいいですよね』みたいにサクッと理解してくれるんですよ。そんなレベルの子には会ったことがなかったので、普段からたくさん考えている子なんだなと思いましたね」

取材での応答もそうだ。何か質問すると湯水のように言葉が出てくるし、「それってこういうことですか？」とこちらの意図を把握してから言葉を選ぶ。ニーズに応えて１００のパフォーマンスを発揮しようとする姿勢がよく伝わってきた。

てんちむの動画撮影も一瞬で始まる。平出さんは仕事終わりにてんちむと食事をする機会が多く、てんちむが呼吸するように撮影を始める瞬間をよく目にした。

「仕事終わりにラーメンでも食べて帰ろうかって席に座った瞬間、スマホをテーブルにポンと置いて、何の前触れもなく『ちょっと撮影していいですか』ってカメラを回すことが多いんですよね。びっくりして『動画の企画はどうやって考えてるんですか』って聞いたら『いや、なんか降ってくるんですよね』って言うんです。常に考えている人ではあるけど、企画を作り込むというよりは、パッと降ってくるタイプなんだろうと思います」

てんちむらしい大雑把なエピソードのようで、いつも内省して他者のニーズを察知しているからこその緻密なエピソードでもある。**なんとなくで走り出しても、蓄積した経験と磨き上げた能力でそれなりのパッケージにできてしまう**のだ。

平出さんとラーメンをすすりながらスマホで急遽撮影した動画「**アタイと黒服と、時々タワマン**」は、なんと100万回再生を突破している。前半で平出さんと『クラブNanae』の仕事についてざっくばらんに話し、後半では親しくしている〝タワマンさん〃（タワマンに住んでいるからタワマンさん）に『バーレスク東京』で踊る様子とその後の食事風景を撮影させ、「推しはてんちむ」と言わせている。

平出さんともタワマンさんとも、仕事後に訪れた飲食店での会話を撮影した。瞬間的にカメラを回した即席動画にもかかわらず、それぞれ客観的な目線でホステスやショーダンサーとしての魅力を語らせている。

アタイと黒服と、時々タワマン

即席動画らしいざっくばらんな会話でありながら「**てんちむはどんな感じで働いているんだろう？ 裏側ではどんな態度なんだろう？**」といった**視聴者の疑問に第三者が答える**構成で、華やかな仕事の裏側を見ながら答え合わせできる。

前半の平出さんパートでは、ラーメンと餃子の出前を食べながら『クラブNanae』での仕事ぶりを質問。平出さんのサポートへの感謝を述べてから、短所（改善点）と長所の両方を聞いている。

「天華さんがいるテーブルは幸せオーラが出る」と言われてドヤ顔を披露し、ラーメンをすすりながら飲食店のマスターにも「どうですか愛天華は？」と人懐っこく聞く。今後のイベントやプレッシャーについて人間臭く打ち明けながら「ずっとナンバーワンで伝説を作りたい」と意気込み、指ハートで締めている。

後半のタワマンさんパートは、最初にタワマンさんが撮影した『バーレスク東京』での公演風景が流れ、飲食店で紙タバコを吸いながら感想を聞く様子が映る。褒められると上を向き「うれちい！」と叫び、天井に煙を吐き出す。

他キャストの魅力も伝えつつ「タワマンさんたちに指ハートのファンサしたの気づいた？遠くの人にもわかるようにやってんの！」と指ハートを全力で繰り出し「ショーは何点だった？」と矢継ぎ早に質問。１００点と言われるなり、また指ハートを全力で突き出して「イェーイ!!」と笑う。

有無を言わさない圧もあるのだが、相手の言葉に応じて喜怒哀楽たっぷりの表情が浮かぶので嫌味がない。酔った舌ったらず感と媚びない全力のリアクションが絶妙で、思わず破顔してしまう親しみやすさもある。

また、語り手である平出さんやタワマンさんに感謝を伝えつつしっかりと立て、職場である『クラブＮａｎａｅ』と『バーレスク東京』のおもしろさ、他ホステスやダンサーの魅力まで余すことなく紹介しているため、自己アピールが鼻につかない。
深夜の飲食店で雑談するラフさは親近感と真実味があり、視聴者もその場に座って会話を聞いている感覚になる。

てんちむは咄嗟にカメラを回しつつも、**どんな情報であれば視聴者が喜ぶか、どうやって会話すれば目の前の相手が楽しく話せるかを察知している。**だから再生数は１００万回を越え、多くを語らされている平出さんやタワマンさんがうれしそうなのだ。声色から笑みがこぼれている。

金額不問で全力ファンサ

せめて、インフルエンサーらしく

周囲を魅了しながら華々しい成果を出していたてんちむだが、「てんちむを辞めたい」と平出さんに吐露していたように、輝かしい表仕事の裏には地道な努力と葛藤があった。

『クラブＮａｎａｅ』や『バーレスク東京』にたくさんのファンが訪れお金が飛び交う様を見てどう思ったか聞くと「苦しかった」と言った。「**自分にそんなお金を使ってもらう価値はないのに、愛されるのが苦しかった。申し訳なかった**」と。

当時の動画でも、ユーチューブらしいハイテンションではあるが「なんか苦しい！」と叫んでいる。

「当時は自分がやってしまったことを償うために働いていたから、自分が自分を好きじゃなくて、自己肯定感が低かったんですよね。ファンや友達がお金を支払って自分を愛してくれるのがすごい苦しくて、そもそも**ファンに直接お金を使ってもらうのが好きじゃない**って気付きました。『もう一本ちょうだい』って楽しみながらガツガツできるのがホステスさんやキャバ嬢さんの素質だと思うんですけど、私は苦しいんですよね。仕事だってわかっていてもできない。特にシャンパンはプレゼントみたいに形が残るわけじゃないから、気持ちを丸ごとお金でいただいている感じがして申し訳ないって思っちゃいます」

売上額をＳＮＳで堂々と発信していたてんちむの意外な本音だ。注目を集めるために売上額をドンとアピールしていたが、それを手放しに喜んでいるわけではなかった。非対面ならまだしも、対面でファンに大金を貢がれるのはインパクトがあるし、一般のキャバ嬢やホステスが男性に貢がれるのとも感覚が違う。

トリプルワーク中はファンに大金を貢がれる心苦しさを抱え続けることになったが、「人に相談しても解決できる問題じゃない」といつものごとく割り切っていた。

ファンに貢がれるのを喜びとしないてんちむは、**金額にかかわらず全力でファン**

サービスをした。それが過剰なサービスにもなり得るため、平出さんはてんちむのアフターには注意を払っていたと言う。

「もうね、お酒が入ってくると『じゃーアフター行きましょう！』って言い出しちゃうので、あんまり安売りはするなと言い聞かせてました。アフターや同伴は特別なお客様とするものですから、売れてるのに『アフター行ってきまーす』なんて気軽に言い出すたび『いやいやいや！』って止めてましたね」

そんなてんちむを、平出さんは「金銭的な嗅覚があるわけではない」と語る。

「夜のお仕事だと、お客様の見極めをするのも売上を伸ばすための戦略です。でも、天華さんはなるべく平等に接そうとする人でした。もちろん使っていただく金額に応じて区別はしなくちゃいけないと伝えていたんですけど、お客様全員をフラットに見ていました」

てんちむのフラットな対応について、アシスタントのしんちゃんは「**インフルエンサー**

のプロ意識ですよね」と言う。

「ファンには贔屓なしで接するのがインフルエンサーとしての礼儀じゃないですか。愛天華じゃなくてんちむに会いに来てくれるお客様がほとんどで、ホステスというよりはてんちむとして立たせてもらってるんで、金額に関係なく平等に接したんだと思います」

プロのインフルエンサーらしい金額不問の全力ファンサは、余すことなく種まきをする全方位射撃でもある。**ホステスとしては非効率的に見えても、最終的には〝てんちむ推し〟を最大化する行動になっていた。**

全力ファンサ含め、てんちむはサービス精神旺盛な相手優先のコミュニケーションを行うため、よく「神対応」と言われる。それを本人は「**食べログ方式**」と呼ぶ。

「**自分を食べログの掲載店だと思っているから、『相手がよければそれでいいや』って思って、相手の気持ちを考えて行動します。**人からの評判って絶対大事だし、噂もすぐ回るんで。

仕事相手でもファンでも『てんちむっていいな』と思ってくれたら、誰かに『てんちむってどういう子？』って聞かれたときに『いい子だったよ！』って返してくれるじゃないですか。それが口コミになって、業界内のファンが増えたり仕事につながったり、プラスの変化がたくさん起きるので」

てんちむは「相手のストレスが自分のストレスになるから、相手がストレスフリーでいるほうが楽」と言う。食べログ方式は相手のためにも自分のためにもなるＷｉｎ－Ｗｉｎなコミュニケーションだと。

アシスタントのしんちゃんは、食べログ方式の根本は幼少期の芸能活動にあると語る。

「甜歌は根本的に、**自己肯定感が他人の評価に比例する**んです。ちっちゃい頃から芸能界にいると他人の評価が全てになっちゃうから『私がいいからいいんです』ってマインドにはなれないんです。だからこそブランディングがうまいし、人気もあるし、周りの人に好かれて売れやすいっていうのもありますよね」

一方で「**相手優先**であっても、**自分のストレスになることはしない**」と決めている。てんちむの影響力を利用し搾取しようとする相手もいるからだ。

「搾取されることもあったんですけど、今は違和感が生まれた段階で距離を置きます。『この商品をあげるからＳＮＳに載せてよ』って頼まれたり、仲良くないのにマブダチかのようにＳＮＳでアピールされたりするのは日常茶飯事なんで流すんですけど、案件を受けるときはリーガルチェックをしたり第三者に意見を聞いたりして、悪く利用されないようにセンサーを張っています」

サービスを０か１００かにしてサービスの無駄打ちを防ぎ、本来仲間にするべき人に１００のサービスを注ぐ。**相手を見定めたサービス精神の最適化により、効率的にＷｉｎ－Ｗｉｎの関係を作っている。**

ただ、それでも疲弊してしまうことはある。定期的に「てんちむでいること」に疲れてしまうのだ。

完璧な〝てんちむ〟を演じてファンサ疲れ

銀座のクラブでは〝てんちむ〟と〝愛天華〟の使い分けにも葛藤していた。ホステスの仕事を始めてからしばらくはユーチューバーのてんちむで接客するか、銀座のホステスらしい愛天華で接客するか、方向性が定まらなかった。

銀座の高級クラブらしい上品な愛天華でいようとすると、てんちむ指名の客から「なんだからしくないね」と言われてしまう。てんちむは相手が何を求めているか、必死で模索した。最初の1週間を終え、てんちむが平出さんに送ったLINEメッセージには苦悩が滲んでいる。

平出さんは、そんなてんちむを「努力家」と感じたそうだ。

「こうしましょうって伝えると、しっかり覚えて直してくるんです。天性の華がある人ですけど、裏で相当努力している姿が見受けられました」

試行錯誤を経て、ヘルプの席以外ではほぼ〝てんちむ〟で接客をした。指名客はや

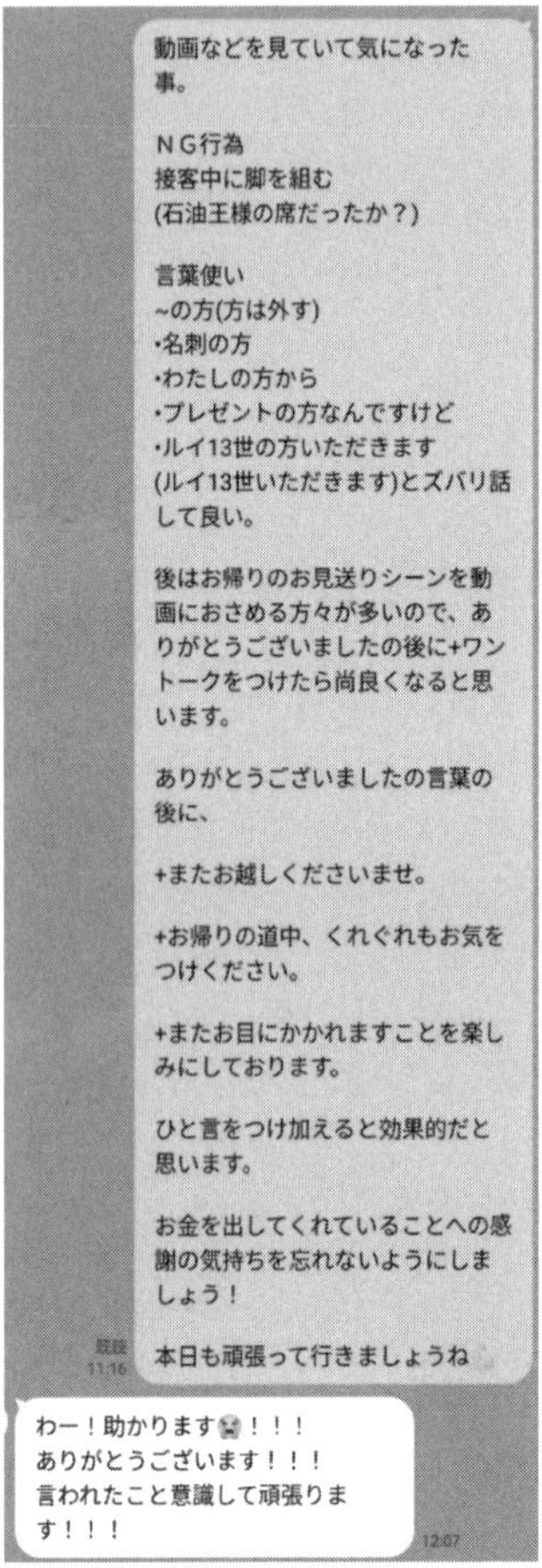

動画などを見ていて気になった事。

ＮＧ行為
接客中に脚を組む
(石油王様の席だったか？)

言葉使い
~の方(方は外す)
•名刺の方
•わたしの方から
•プレゼントの方なんですけど
•ルイ13世の方いただきます
(ルイ13世いただきます)とズバリ話して良い。

後はお帰りのお見送りシーンを動画におさめる方々が多いので、ありがとうございましたの後に+ワントークをつけたら尚良くなると思います。

ありがとうございましたの言葉の後に、

+またお越しくださいませ。

+お帰りの道中、くれぐれもお気をつけください。

+またお目にかかれますことを楽しみにしております。

ひと言をつけ加えると効果的だと思います。

お金を出してくれていることへの感謝の気持ちを忘れないようにしましょう！

本日も頑張って行きましょうね

既読
11:16

わー！助かります！！！
ありがとうございます！！！
言われたこと意識して頑張ります！！！

12:07

平出さんからてんちむへの LINE 指導

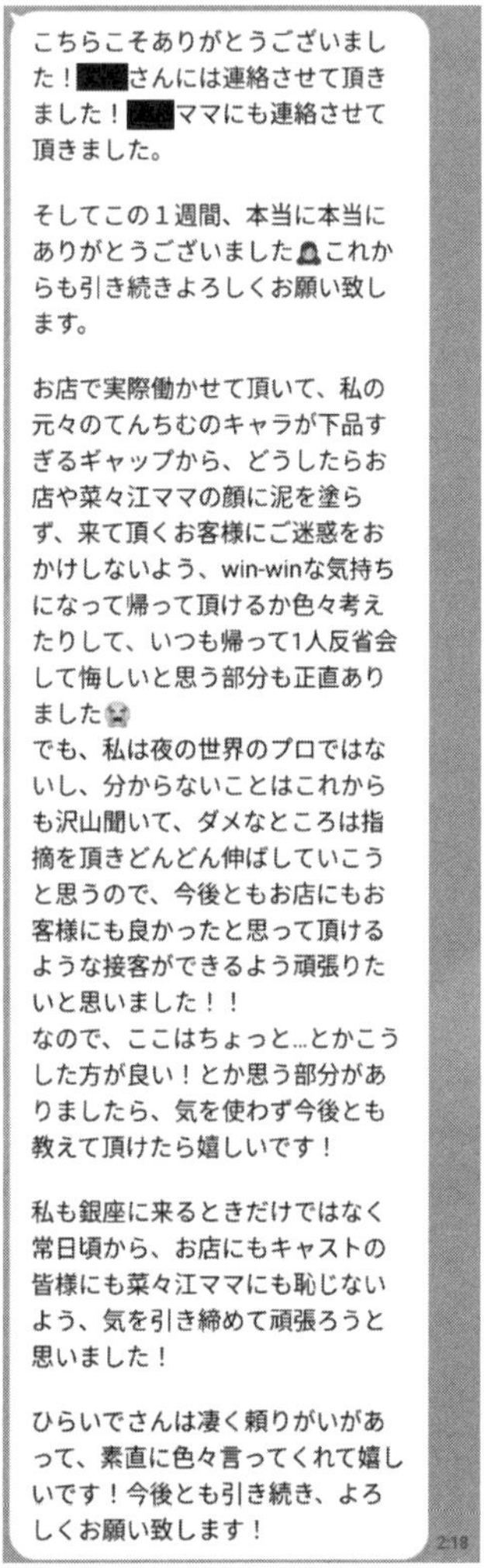

こちらこそありがとうございました！■■さんには連絡させて頂きました！■■ママにも連絡させて頂きました。

そしてこの１週間、本当に本当にありがとうございましたこれからも引き続きよろしくお願い致します。

お店で実際働かせて頂いて、私の元々のてんちむのキャラが下品すぎるギャップから、どうしたらお店や菜々江ママの顔に泥を塗らず、来て頂くお客様にご迷惑をおかけしないよう、win-winな気持ちになって帰って頂けるか色々考えたりして、いつも帰って1人反省会して悔しいと思う部分も正直ありました
でも、私は夜の世界のプロではないし、分からないことはこれからも沢山聞いて、ダメなところは指摘を頂きどんどん伸ばしていこうと思うので、今後ともお店にもお客様にも良かったと思って頂けるような接客ができるよう頑張りたいと思いました！！
なので、ここはちょっと…とかこうした方が良い！とか思う部分がありましたら、気を使わず今後とも教えて頂けたら嬉しいです！

私も銀座に来るときだけではなく常日頃から、お店にもキャストの皆様にも菜々江ママにも恥じないよう、気を引き締めて頑張ろうと思いました！

ひらいでさんは凄く頼りがいがあって、素直に色々言ってくれて嬉しいです！今後とも引き続き、よろしくお願い致します！

2:18

最初の１週間を終えて、てんちむから平出さんへのお礼メッセージ

はり〝てんちむ〟に会いに来ているため、「楽しいてんちむでいよう」と明るく接客した。

とはいえ、完璧な〝てんちむ〟での全力で全員にファンサービスをしていれば疲れる。

「こんなこと言っていいのかわからないですけど」と前置きをしてから「私、ファンイベントって本当は苦手なんですよ」と漏らした。

「めちゃくちゃ疲れるから、今までファンイベントは全然したことなくて。なんで疲れるかって言うと、てんちむの仮面をかぶらなくちゃいけないからなんですよね。てんちむと本当の自分ってそこまで乖離していないんですけど、ファンの方と会うと**相手が求める〝てんちむ〟を作らなくちゃって思うから疲れる**んです」

「ファンが何よりも大事」と考えつつもファンイベントを避けるのが、ある意味てんちむらしい。すべての人間関係において、一定の距離感を保とうとする。

小学生からの芸能活動で「自分は商品」と割り切り、プロ意識を持って活動してきた弊害だろう。相手の感情を読み取る洞察力の高さゆえに、ファンの前で完璧な〝てんちむ〟を提供しようと疲弊してしまう。振り切ろうとするゼロヒャク思考が裏目に出ている。

てんちむは計算高いようで天真爛漫な性格でもあり「楽しくなればどこでも出ていっちゃう子」だったため心配した平出さんは酔っぱらったてんちむのアフターについて回った。

「よくベロベロになっちゃって1人にするのが心配だったので、帰りのタクシーに乗るところまで見届けていました。当時はコロナ禍で、アフターを遊びだと思われて炎上したらよくないので、なるべく僕が近くに立って仕事だとわかるようにしていましたね。

歌舞伎町をドレス姿で歩いていると、すぐに『てんちむだ』ってバレてました。なのにいきなり走り回って、気づいたら転んでいたりして。血だらけの足で『平出さん、転んじゃった〜』って笑ってました」

ベロベロのてんちむは、血がにじむ膝を抱えて「**てんちむを辞めたいよお〜**」と嘆いた。天を仰いで細めた目に、猛々しいネオンの粒が乱反射して涙のように光る。アスファルトの地面にドレスの光沢が流れ落ちる。闇に溶けたくても、輝くのをやめられない。

プロ意識ある〝てんちむ〟をまっとうするなかで、アルコールが回ったときだけ〝てんちむ〟の輪郭がゆるゆると溶け、内側の〝橋本甜歌〟が首をもたげるようだった。

平出さんは「**いつもギリギリのところでメンタルを保ってるんだな**」と思いながら見守っていた。

ピンと張りつめた1本の糸が、週7日勤務・1日2時間睡眠のトリプルワーク生活を紡いでいく。

プロ意識ある〝六本木のミッキーマウス〟

「ちょっと今日脂肪吸引してきた」

『クラブＮａｎａｅ』で大金を舞い散らせたてんちむだが、黒服の平出さんがてんちむのプロ意識を感じたのはショークラブ『バーレスク東京』でのパフォーマンスだった。

『クラブＮａｎａｅ』での成果はてんちむの能力によるものも大きかったが、『バーレスク東京』での成果は努力によるものが大きかった。その証拠に『クラブＮａｎａｅ』は清々しい笑顔で卒業したが、『バーレスク東京』の卒業公演後は子どものように顔をクシャクシャにして泣いた。

六本木にある『バーレスク東京』は〝新感覚エンターテイメント〟がコンセプトのショークラブで、ポールダンサーからバーレスクダンサーまで幅広いスキルを持ったダンサーたちがハイクオリティなダンスパフォーマンスを披露する。

特徴的なのは、専用チップ『Ｒｉｏｎ（リオン）』（１枚１００円）を推しのダンサーやキャストに渡すチップシステムだ。バストやヒップなど衣装の隙間にねじ込むのがいかにもショークラブであり、六本木らしい空間になっている。

ショーは本格的で、ダンスに加えて早着替えなどバックステージでの段取りも頭に叩き込み、本番では慌ただしく動き回りながら客席へのファンサービスも行わなければならない。ステージには手練れのキャストたちがずらりと並ぶので比較されやすく、てんちむは『クラブＮａｎａｅ』より『バーレスク東京』でのナイトワークをプレッシャーに感じていた。

「振り付けを覚えてパフォーマンスを披露するバーレスクは、ほかのキャストに見劣りしないか不安でした。月曜日から金曜日までは『クラブＮａｎａｅ』、土日は『バーレスク東京』ってスケジュールで、ダンスを覚える時間が『クラブＮａｎａｅ』での勤務前後しかなくてカツカツだったんです」

『バーレスク東京』より先に『クラブＮａｎａｅ』での勤務をスタートしていたため、

『クラブＮａｎａｅ』の黒服・平出さんもバーレスクの初舞台に向けて猛練習に励むてんちむを見ていた。

「隙間時間があればドレス姿のままダンスの練習をしていました。仕事終わりにラーメンをすすりながら『レベルが高いダンスに挑戦するか迷っているんだよね。やったほうがファンの子は喜んでくれるかな？』と聞かれたり、アフターが終わった3時過ぎからダンスレッスンを受けに行く姿を見たりしていたので、本当にこの子はすごいなと思ってました」

プロ意識は脂肪吸引直後の出勤でも感じられたと言う。

「ある日、天華さんが『**ちょっと今日脂肪吸引してきた**』って出勤してきたんです。普通はみんなダウンタイムで痛いから椅子に座ったり動き回ったりできないのに、天華さんは『痛いけど、とりあえずがんばるわ』ってガシガシ動き回るし、バーレスクでも働くし、そういうプロ意識にも驚かされました」

そんなてんちむを、平出さんは尊敬していた。

「彼女は子役時代からずっと表舞台に立って生きていた子なので、**若いのに起業家の方たちと同じレベルで会話できる感性**を持っていました。それもプロ意識と呼べるのかもしれないですね。黒服でなく一人のビジネスパーソンとしても、こういう人がどこでも成功できる人なんだろうと尊敬して見ていました」

こうしたプロ意識は、トリプルワークを支え続けたアシスタントのしんちゃんもひしひしと感じ取っていた。

バーレスク東京の舞台は、ありったけのスパンコールを散らして原色のライトで染め上げたような空間だ。見ている分には華やかだが、てんちむの卒業公演でゲストとして舞台に立ったしんちゃんは足が強張るのを感じた。

「エグいくらい怖いです。立った瞬間に、あの場にいる観客全員の視線が集まるんですよ。撮影ＯＫだから向けられているカメラの数も多くて、頭が真っ白になります。あそこでパフォーマンスできる人は、甜歌含めプロですね」

自腹返金を公言して貯金がなくなり、周りが心配になるくらい不安定な精神状態に陥っても、想定外のアクシデントが起きて公演当日の朝に号泣しても、**舞台に出れば〝いつものてんちむ〟**になった。「やっほー、てんちむです！みんな息してるー？」とフルスマイルで呼びかけ、その場を盛り上げる。

どんなに疲れていてもファンサービスは怠らない。以前からファンが並んでいる野外イベントでは熱中症対策に塩飴を用意して手渡しで配ったり、街中で声をかけられたら撮影中でも対応したりして、ファンが喜ぶ行動を徹底している。ここまでのファンサービスを行うインフルエンサーは稀だ。

「ファンのおかげで今の自分がいるので、感謝すべきはファン。自分が街中で推しに会ったときにどう対応されたらうれしいかを考えてファンサービスしています。ファンの子に無理させたら自分も苦しくなるので、全部のイベントに来てとは絶対に言いません。相手の立場に立って接するようにしています」

そんなてんちむを『バーレスク東京』のスタッフやダンサーはどう見ていたのか。

何人ものダンサーを見てきたスタッフのＭａｎさんは「**〝びっくり〟の一言に尽きる**」と言った。

〝女子バスケ部の姉御〟は万人モテ

Ｍａｎさんが一番驚いたのは、やはり集客力だった。ゲスト出演するインフルエンサーのなかでも、てんちむの集客力は別格。通常は「来てください！」と告知したり直接連絡したりして客席を埋めるのだが、てんちむは告知せずとも連日満席だった。１２５名の客席は、毎回半数がてんちむ客で埋められた。１日３公演あるため、**１日あたり２００人を確実に集めている。**メインは20代女性で、客席からてんちむをじっと見つめているのが印象的だったと言う。

『バーレスク東京』の人々は、てんちむが働くと聞いて「ちゃんと練習するのか」と疑問を感じた。インフルエンサーのゲスト出演は何度もあったが、１曲ほど出演してにこやかに手を振るケースが多く、てんちむほどがっつりフル出演するゲストはいなかった。

てんちむは「ステージに立つからにはちゃんとやる」と深夜練習に明け暮れ、直接指導したダンサー講師は「てんちむちゃん、めちゃくちゃ練習してくれる！」と目を丸くした。

ハイレベルな本格ダンスにも自ら「やりたい！」と手を挙げ、次から次に覚えていく。ダンス講師はいるが、過密スケジュールのてんちむは講師以外のダンサーにもスキマ時間に教えてもらわないと間に合わない。講師以外のダンサーは教えてあげても給料が発生せず、あくまで好意によるお気持ち指導になる。つまりダンサーに無償で教えてもらえるだけの人間関係が必要で、それがあるから「やりたい！」と手を挙げられたわけだ。

Manさんは「あれだけの自信を持てるのがてんちむ」と快活に笑う。

「『このダンスやってみる？』って聞いて、断われたことは一度もないです。**普通はもっと日和るんですけど、てんちむは『やります！』って臆さずに言う**んですよ。それで本当にやり切っちゃう。これがてんちむかって思いました」

てんちむは引退時に8曲を披露している。1演目あたり2時間×3回のレッスンが必要なので、**多くのダンサーの協力を得ながら約50時間も深夜練をしたことになる。自主練も入れたら、１００時間はゆうに超えるだろう。**

てんちむにダンスを教えたダンサーは、卒業公演では教え子を見送る先生のように大泣きしている。Ｍａｎさんは当時の風景を思い返し、目を細める。

「ダンサーはみんな『マジですごい！』って感動してましたよ。卒業公演の後、感極まったダンサーから『てんちむちゃんみたいになりたいと思いました！』ってメッセージが僕に届いて、みんなが憧れる存在になってましたね」

バーレスク東京 FINAL STAGE LIVE

てんちむはスタッフをも虜にした。かわいくニコニコしていたのではない。Ｍａｎさんは「**ヤンチャな女子バスケ部って感じ**」と言った。

「てんちむって芸能人なのに、汚くて冷房もない非常階段に来てタバコ休憩するんです。１部と２部の合間にタバコを咥えながら『お客さんに挨拶したいけど、全員回り切れないかも。やベー！』って焦ってたり、『〇〇、チップのバケツ持ってくれてありがとね！』ってバイトの子にお礼言ってたり。サバサバしているけど本当は優しい、先輩にも後輩にも分け隔てなく話す部活の先輩みたいな感じなんです。**かわいいのに親近感があって、ユーチューブのてんちむそのまんまで好感度が高かった**ですね」

普通のダンサーは「ありがとうございます〜」とにっこりするくらいで、てんちむほど近い距離でスタッフと話すことはない。期間限定のゲスト出勤なのに、とんでもないコミュニケーション力だ。

こんなエピソードもある。ある日、てんちむが熱を出してしまった。当時はコロナ禍真っ只中、大勢の観客やダンサーに連日触れ合っているなかでの発症となれば、誰しも青ざめるだろう。

ところが、ＭａｎさんのＬＩＮＥに届いたメッセージは「マジやらかしたかも。コロナかも！」。結局コロナではなかったので事なきを得たのだが、取り繕うそぶりのないどストレートなギャル言葉にＭａｎさんは吹き出し「てんちむ、マジ最高だな」と思ったらしい。

「丁寧に愛想よく接されるより、サバサバした近い距離感で接されるほうがうれしいですよね。ボディタッチもエロくなく『イェーイ！』ってハイタッチする感じで、こっちも仲間意識持てるし、女性としても人間としてもいいなって思いました。

地元のイケてる先輩みたいな親近感があるから、お客さんも会いたくなるんでしょうね。**会いたくなるダンサーには親近感が必要**なんですよ」

推しビジネスの肝は親近感だ。本当は人気インフルエンサーで遠い存在なはずなのに、**身近に感じられる人間味があるとギャップが魅力になり、応援したくなり、推しになる。**

ただエンターテイメントとしてショーを見るだけだと数千円で終わってしまうが、推しとなると万札が飛び交う。**てんちむは1回の出勤で約100万円の売上を出した。**土日出勤のみにかかわらず、『バーレスク東京』での月収は340万円を超えた。メインの客層は20代女性であり、推される力の強さがうかがい知れる。

	2022年11月　てんちむパック集計				
	項目	数/売上	単価/%	支給額	備考
店舗	日数	2			
	時間数	14.0h	2,000	28,000	
	推しプラン（サブ）	7	500	3,500	
	推しプラン（本）	236本	1,000	236,000	
	チップ	57613R	50%	2,880,650	
	ボトルパック	313,400	50%	156,700	原価引き済み
	VIPパック	212,000	50%	106,000	
	合計			34,108,450	

しかし、なぜこれだけ熱狂的な女性支持を集められるのだろうか。『クラブＮａｎａｅ』も『バーレスク東京』も男性客がメインの店なのに、てんちむを指名するのは女性客が多かった。女性の一人客も珍しくなく、スタッフは目を見張った。

10万円を握って泣く女性客

『クラブＮａｎａｅ』の平出さんは「**普通じゃ考えられないようなシーンに数えきれないほど立ち会った**」と言う。

夜の銀座を出歩かなさそうな50代夫婦は、妻がてんちむのファンだからと誕生日祝いに来店した。

てんちむに会うため、初めて大阪から上京した風俗嬢もいた。月1回50万円を持って来店し、日帰りで大阪にとんぼ返りする。

毎週金曜日に来店する女性3人組は、吉原で働く風俗嬢だった。仕事終わりにてんちむと一緒にお酒を飲み「また来週もがんばろう」と笑い合って帰る。

封筒を握りしめ、てんちむに会いに来る会社員女性もいた。その封筒には、コツコツ貯めた10万円が入っている。彼女は「10万円持ってきたら、何時間いられますか。てんちむさんとどれくらい喋れますか」と聞いた。

一人ひとり支払う金額も、仕事も、年齢も、これまで歩んできた人生も、今の生活もまったく違うが、てんちむに会うと感極まって泣いてしまうところが共通していた。感受性が強く共感しやすいてんちむも、いっしょにポロポロと涙をこぼす。「本当にありがとう」「遠くから来てくれてありがとう」と。

泣いてしまうほどてんちむが好きな彼女たちは、てんちむのどこに惹かれているのだろう。てんちむに、何を見ているのだろう。

アシスタントのしんちゃんは「炎上後に女性ファンが増えた」と言う。

「同じ女性として、こういう炎上がありながら銀座のクラブや六本木のショークラブで働いて、自分で責任を果たそうとする姿に憧れてくれたんじゃないですかね。ホステスやショーダンサーってキラキラしてて女の子が好きそうな職業だし、普通はなかなか経験できない仕事でもあったし」

女性が憧れる華やかな容姿を持っててんちむが、自分には到底立てない煌びやかなステージに立ち、輝きながら働いている。その裏には、自分では到底背負えない責任があり、非難と誹謗中傷があり、期待があり、人気がある。
目が眩むような明暗のコントラストを放ちながら疾走する〝てんちむ〟という女性に、**何かを抱えながら生きる現代女性は強い共感と憧れを抱く。**健やかな女性はてんちむの光が活力になり、病める女性はてんちむの闇が救いになったのかもしれない。

平出さんやしんちゃんのインスタグラムには「てんちむちゃんのことをお願いします」というＤＭが大量に届いた。平出さんは静かに目を細める。

「炎上しても、女性ファンから『てんちむちゃんは今すごく落ち込んでいると思うんで、寄り添ってあげてください』って応援ＤＭが殺到して、逆に僕が励まされるくらいです。お店に来るのは20代の方が多いんですが、僕へのＤＭは年配女性が多くて、こんなに幅広い年代の女性に応援されているのかと驚きます」

炎上後に女性ファンが増えたのは、炎上してドン底に落ち、それでも人を惹きつけながら再起するてんちむに勇気をもらった女性が多いからだ。なりたい自分を、理想の自分を、憧れの自分をてんちむに投影し、羨望しながら応援している。

協調性を重んじるばかりに主張ができず、会社で心を消耗して、自分という人間を失いかけている人もいるだろう。朝起きて、決まった場所に行き、夜まで働くという行為ができず、性と若さを商品にしてすり減らしている人もいるだろう。ネオン街の暗闇で息をしながら、スマホのバックライトの先にいるインフルエンサーに焦がれている人もいるだろう。女という枠に自分をはめて、人知れず進みたい道をあきらめた人もいるだろう。

そんな人々の目にてんちむが映る。

てんちむの容姿が、行動力が、人気が、影響力が、折れない自我が、女性に「でも、きっと、もしかしててんちむなら」と夢を見させてくれる。

前に進んでくれるなら、自分の時間もお金も燃料として使ってほしい。どうかそのまま突き進んで、私たちの代わりに強く美しい女になって、この生きにくさを薙ぎ払って、もっと上まで駆け上がって、「私こそが主人公だ」と笑ってほしい。

そんなふうに思いを託したくなる人なのだ。

これを〝推し〟と呼ばずに、何と呼ぼうか。

昼職だって4日で1億円

破竹の勢いで稼ぐてんちむを「そうは言ってもナイトワークの特殊事例」と侮るなかれ、ナイトワーク以外でも一発で1億円を動かしている。

ここまでホステスとショーダンサーにフォーカスしていたが、トリプルワークの主軸はユーチューバーである。ユーチューバーの仕事でひと際大きな影響力を発揮したのは、ロコンド社のジュエリーブランド『METEOR NEWYORK（ミーティアニューヨーク）』アンバサダー就任だ。

同社の田中社長から直々に指名されたてんちむは『METEOR NEWYORK』

のジュエリーを「かわいい！」と気に入り、アンバサダー就任への意欲を見せたが、炎上から3か月しか経っておらず返金の途中でもあったため、広告塔になることへの迷いがあった。

「うれしい気持ちもあったんですけど、今の自分に務まるのかってプレッシャーのほうが大きかったです。でもありがたいことに変わりはないし、返金するお金を稼ぐためにもやらせてもらいました」

広告で炎上した失敗経験を踏まえ、打ち合わせは念入りに行った。特に注意したのは見せ方だ。

いくら好感度を上げているとはいえ不信感を抱く視聴者もいる。嬉々として広告塔を務めたら「反省していない」と非難され、てんちむを起用したロコンド社に矛先が向くかもしれない。

視聴者に納得感を与えるため、てんちむが「やりたいけどやっていいのか」と躊躇する様子をリアルに伝えようとした。

「かと言って、拒否しすぎたら社長に失礼じゃないですか。しっかり『自分がやっていいのか』と考える部分を見せつつ、ちゃんと『やりたい』って気持ちも伝える形にしようと思いました」

これらを反映した動画「**【緊急事態】ロコンドに突然、呼び出されました**」の構成は、わかりやすい起承転結の型に落とし込まれている。

起は「ロコンド社に呼び出される」、承は「社長の『失敗して再起する人を応援したい』という思い」、転は「アンバサダー就任の依頼と葛藤」、結は「アンバサダーになる」だ。

突然スマホをテーブルに置いて即席撮影をすることもあるてんちむだが、炎上リスクがある企画では起承転結の構成を作ってメモ書きし、リスクヘッジしてから撮影に臨む。

その甲斐あって、視聴者のコメントは「反省しながら、心が苦しいながらも色んなことに挑戦する姿にめ

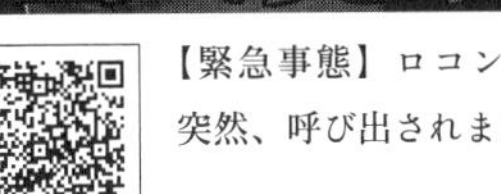
【緊急事態】ロコンドに突然、呼び出されました

ちゃくちゃ勇気と元気もらいました。本当にありがとうてんちむ！」「てんちむ的には二度と炎上したくないだろうし下手な商品には手を出さないよね、一度失敗してるからこそ信用できる部分はある」「こっちが嬉し泣き。助け合い。もう素敵すぎる」と好意的な激励コメントが大半を占めた。

案件の相談に乗っていた代理店スタッフの澤田さんは、この反響に目を丸くした。PR動画は、通常動画より反響が悪いのが常だからだ。

「クライアントのPR動画なのに、むしろロコンドさんありがとうっていうメッセージがめちゃめちゃ届いたのはすごかったですね。これだけてんちむさんを支持している人がいたのは『私が悪い』と全部受け入れて謝罪と返金をしたからです。

豊胸の件はやっちゃいけないことですが、炎上は間に入る企業や代理店が責任を負うケースが多いなかで、約5億円を一個人の女性が自分自身で負担するのは最大規模の償いだと思うんです。それを理解している人からすると、視聴者と向き合うてんちむさんを応援したいって気持ちが高まったんでしょうね」

てんちむのアンバサダー就任とともに発売したジュエリーの売上は、**リリースから4日で1億円を突破した。**その売上から得た収入は返金に充てられ、てんちむの懐には入っていない。

「4日で1億円」**という偉業は、企業からの人気を急激に回復させた。**炎上して間もなくとも、高い影響力と多くのファンを持っているインフルエンサーだと証明されたのだ。

ただ、それだけの成果をもってしても、てんちむは「自分に企業からの信用はない」と切り捨てる。

「PR案件におけるインフルエンサー選びの軸は需要と供給。重視しているのは信用じゃなく世論だと思うんですよね。私が必死で返金を終わらせても、世間からのバッシングが9割だったら絶対に私を起用しない。応援してくれるファンが多かったからPR案件を依頼されたわけで、これ以上信用を損なわないように気をつけていました」

PR案件が舞い込むからといって「もう自分は信用された」とは思わず「今のてん

【ご報告】返金完済しました。今後について

ちむにニーズがある」と解釈している。炎上して落ちたり上がったりしたてんちむは、自分の価値がいとも簡単に揺らぐのを痛感し、一つの出来事を過信しなかった。

こうしてユーチューバー・ホステス・ショーダンサーのトリプルワークで稼ぎ続け、炎上から8か月後、トリプルワーク開始から5か月後の2021年4月、合計3億5000万円を支払って約2万人への返金を完了した。そのほかの手数料などを含めると、5億円以上を支払っている。

美女ユーチューバーから異次元ユーチューバーへ

多くの企業のＰＲ案件を担当する澤田さんは、炎上後のてんちむが唯一無二の女性インフルエンサーになったことを確信した。

「炎上をきっかけにてんちむさんがパワーアップして、異次元なフェーズに行ったなと感じました。女性インフルエンサーはたくさんいますけど、てんちむさんみたいにタフな底力がある人はそうそういません。〝かわいくて綺麗で女性に人気のてんちむ〟から〝力強くてタフな唯一無二のてんちむ〟に変わって、既存のカテゴリに振り分けられなくなりました。一人の人間としても、女性インフルエンサーとしても、強くなりましたね」

てんちむ自身もその変化を自覚している。

「炎上して、あきらめと自信の両方を得ました。炎上前はファッション雑誌やテレビにも出ながら『活動の幅を広げててんちむを大きくしたい』って思っていたけど、炎上を機に『**ありのままの自分を支持してくれる人もいるんだ**』って気付いて自信になりました」

返金前は返金後の引退も考えていたが、ようやく「すぐに引退はしない」と決めることができた。

炎上の最中、無人島で寝袋に包まっていたてんちむは〝詐欺師と呼ばれるクズな私〟と対峙し、自分を「気持ち悪い」と感じた。返金し終わったら〝てんちむ〟を脱ぎ捨てて、〝てんちむ〟以外のまっさらな存在に生まれ変わろうとしていた。

しかし、逃げずにトリプルワークに専念したことで、〝てんちむ〟の内側から肯定感が芽生え、返金を終えたときには全身に根を張っていた。

「このまま突き進んで、誰も近づけないくらいの存在になりたいって思えました。**私って目標を決めたらここまでがんばれる人間なんだって知って、自信がついたん**です。それまでの自信は自分の容姿の振り幅で見せるギャップや、さらけ出せる勇気に対するものだったんで『とりあえず綺麗にしておこう』みたいな考えしかなかったんですけど、**炎上を経て内面にも自信が持てるようになって、人間的な自信が生まれた**気がしています」

それまでのてんちむは、人間性を磨いて成熟していこうとする気持ちが薄かった。それよりも、今この瞬間の不快を避けるために「どうやったら不快なことをせずに成果を出し、自分の選択を正解にできるか」を考え、ありのままをさらけ出して行動してきた。20代後半になっても、ジャージ姿でタバコを咥え「〜じゃね？」と話すざっくばらんな態度を崩さなかった。それはそれでエンタメとしてはおもしろいし、飾らぬ個性として愛されたが、年相応のものとは言い難い。

「内面の自信が生まれたのは、返金が完了して人間的に評価されたから？」と問うと、首を振る。

「いや、人からの評価とか世間の評判とかよりも、自分の評価です。**自分がどれだけ嘘をつかずにがんばったかは、自分が一番わかってる**じゃないですか。誰にも評価されなくても、自分だけはわかってる。

『もう1回トリプルワークして』って言われても、あんなハードスケジュールは絶対やりたくないです。でもあのときは『私を応援しに来てくれる人のためにがんばりたい、信じてくれた人に返金したいからがんばりたい』って心から思ったからがんばれた。

目標に向かってここまでがんばれる自分っていうものを、自分でも初めて見ました。**『私はこんなにがんばれるんだ』って思えたことが、私にとってすばらしい経験だった**んです」

好感度が生命線のインフルエンサーが、他者評価より自己評価を優先するのは難しい。自分の想像を超える努力により、自己評価に目を向けることができた。

「私を嫌いな人がいてもいいから、自分に合った選択肢を選んでいきたいって思いました。**ほかの誰でもない自分が『あたしって最高！』って思える人生を生きたいなって**」

このとき初めて、〝橋本甜歌〟が〝てんちむ〟を少し肯定できたのかもしれない。

努力は絶望の薬

てんちむがトリプルワークを終えたのは、返金を発表してから1年4か月後の2022年1月だ。2021年4月に返金は終えていたが、その後コロナ禍による緊急事態宣言などの兼ね合いでしばらく出勤を控え、2022年1月に『クラブNanae』と『バーレスク東京』への恩返しとしてトリプルワークを再開し、同月30日を最終日とした。

トリプルワークを終えたフィナーレ動画には「お疲れさま」「勇気をもらえた」「ボロボロ泣きました」と好意的なコメントがずらりと並んだ。炎上直後は批判コメントばかりだったが、応援コメントばかりに反転していた。

てんちむにストレートなダメ出しをしていたアシスタントのしんちゃんも、1年2か月後の『バーレスク東京』卒業ステージでは、開場直後から泣きそうになっている。

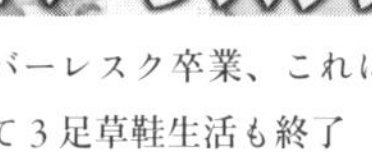

バーレスク卒業、これにて3足草鞋生活も終了

「正直、てんちむってネームバリューがあるから、バーレスクもクラブＮａｎａｅもすごい待遇よくやってくれたんですよ。やっぱり普通の人のトリプルワークとは全然違って、周りの人の協力ありきの恵まれた環境でのトリプルワークだったと思ってます」

そう前置きしてから「だけど」と続ける。

「社会人経験もなくて、ギリギリの精神状態のなか、よくがんばってるなって思いましたね」

しんちゃんは卒業公演で花束を持ってステージに上がり、マイクを手に取って「今日はなんか……」と言葉に詰まり、「無理！」と手を振ってこらえた。そして「よく投げ出さないでここまでやってこれたなと思います。お疲れさま！」とだけ言い切り、親指で涙をぬぐった。

『クラブＮａｎａｅ』の奈々江ママも登場して１００万円のチップを渡し、やはり涙

をこぼした。てんちむは終始号泣である。

炎上直後の無人島で「私が私を好きじゃない」「愛されるのが苦しい」「こんな世界で生きるのやだな」と自己否定して人生を嘆いていたてんちむが、ホステス・ショーダンサーとして働いたトリプルワーク期間を「人生の中できっと一番輝いて一番幸せな瞬間」と言い、「私は、私に生まれてきて幸せ」「自分、本当にお疲れ様。だいすき」と最大級の自己肯定で結んでいる。

てんちむは『バーレスク東京』で数多くの演目を披露してきた。一番不安を感じたのは、初めて挑戦する演目を披露するステージだった。

最初にてんちむが挑戦した難度の高い演目は『ヒール』。それまで踊っていたアイドル系のダンスとはレベルが違い、入念な練習で自信をつけなければ舞台に立てない。主役ダンサーはミラーボールのように瞬く大きなハイヒール・オブジェから登場し、妖艶に舞う。演目中に土台となるヒールが動くため、体がブレないようにしつつ上半身全体をダイナミックに動かし、指先まで神経を尖らせて力強く踊らなければならない。

初挑戦の演目を披露する瞬間、てんちむが必ず行う儀式がある。舞台に上がる直前に目を閉じ、深呼吸するのだ。

『ヒール』を初披露するステージに上がったてんちむは、巨大なヒールの底にぴたりと背中をつけ、照明ひしめく天井を仰いだ。曲が流れて幕が開くまでのわずかな時間、そっと目を閉じ、小さく深呼吸する。

「**いっぱい練習したから大丈夫**」

そう念じて、今までの練習を思い返す。

するすると幕が開き、猛々しいピアノ音が刻まれる。てんちむは両手を天に掲げて目覚めるように起き上がった。その顔に不安の色は一切なく、妖艶なダンサーの目で舞台を支配する。

曲が終わって歓声が上がると、花咲くように笑った。

「がんばると、がんばった自分を信じられて、またがんばれるんです」

かつて「働きたくない」とプリントされたTシャツやパーカーを販売していたてんちむが、揺るがない声で言う。

努力は最大の化粧だ。努力は自分を輝かせる。絶望は努力で塗り替えられる。

拍手喝采の中に立ってんちむを見ていると、そんな綺麗ごとも本当だと信じられる。

てんちむ
1000
RION
1000
1000
1,000
RION
1,000
RION

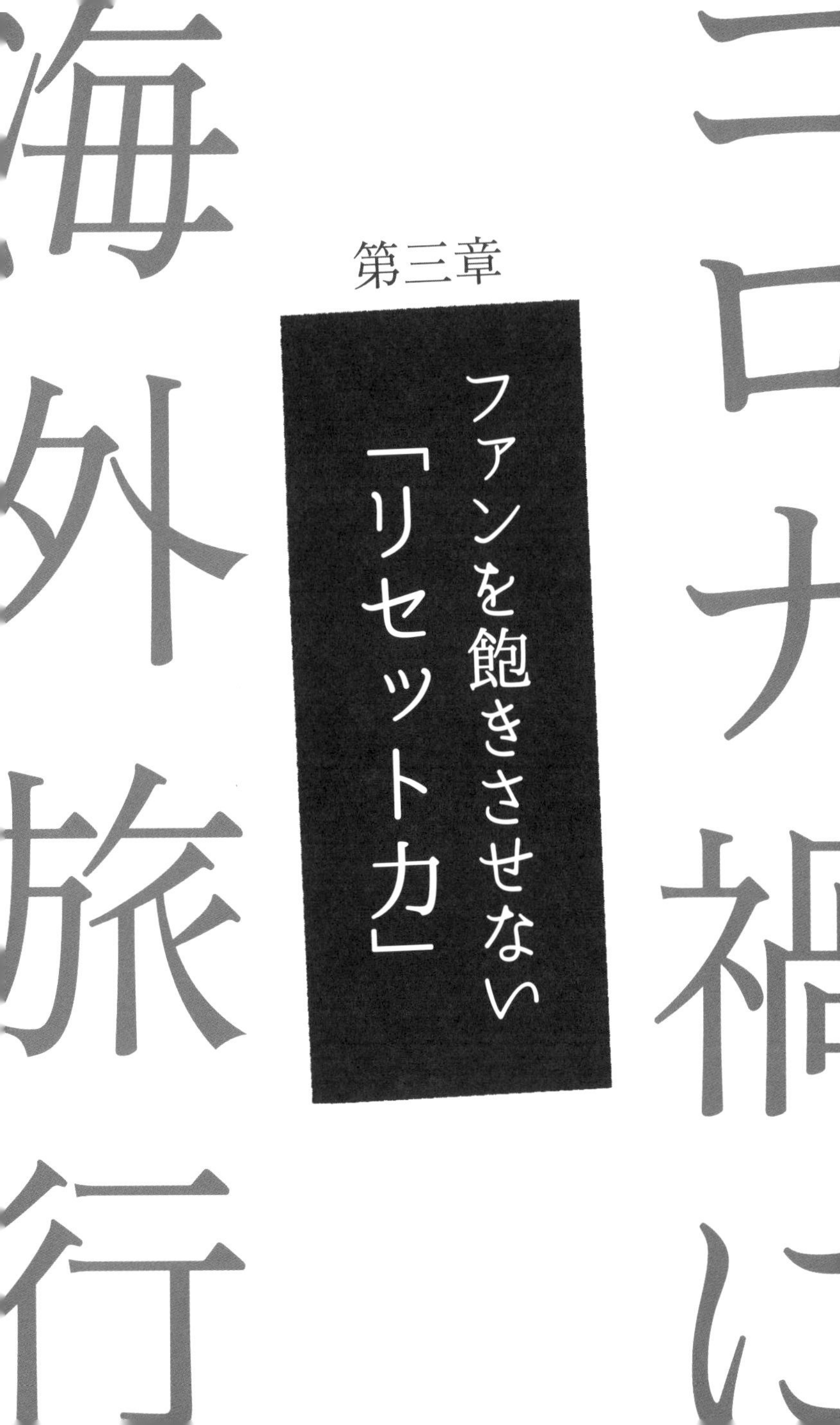
第三章
ファンを飽きさせない
「リセット力」
海外旅行

炎上の後遺症を海外でリセット

返金を終えたてんちむは、すぐに次のヒットコンテンツを生み出した。それが**２０２１年下半期、コロナ禍の海外シリーズ**だ。

海外での仕事が複数重なり、コロナ禍に入国・出国を繰り返すとコロナを持ち込んでしまうリスクがあったため、海外に長期間滞在することにした……というのが表向きの理由だが、てんちむを海外へと駆り立てる強い動機があった。

言ってしまえばストレスである。返金はやり切ったが、引き続きゴシップのネタになり好奇の目にさらされていた。当時のてんちむは、日本が嫌いだったと言う。

「私の中では返金が終わった時に炎上劇も完結したんですけど、ネットでゴシップにされ続けていて『いつまでネタにされるの』って思っていたんですよね」

大きかったのは賭け麻雀疑惑だ。前回の炎上ほど危機的なものではなかったが『またてんちむか』といったネガティブな声は日々届く。確かにあれだけ炎上した直後にまた身から出た錆といったゴシップが出てくると「やっぱりてんちむってナチュラルに素行が悪いんだな」と思ってしまう。（10代後半に家出同然の上京をして歌舞伎町界隈で過ごしていたと言うが、歌舞伎町をフラフラしている未成年の家出少女と仲良くする大人に囲まれた生活だったわけで、少なからず常識がズレてしまったように思う）

トリプルワークにより高まっていた自己肯定感や幸福感は、じりじりと目減りしていった。

炎上は爆発的に注目を集めるが、その後の収束まで報じられるケースは少ない。

てんちむが**炎上直後に謝罪した動画の再生回数は約680万回**で、**トリプルワークの発表動画は約240万回。トリプルワークが完了した『バーレスク東京』でのフィナーレ動画は約50万回**だ。炎上した事実のほうが圧倒的に波及力があり、どれだけ盛り返しても完全リセットは難しい。

「やっぱり〝てんちむのファン〟より〝てんちむを何となく知っている人〟のほうが多くて、てんちむへの思い入れはそんなにない人がほとんどなんですよ。だからゴシップが出れば叩くし、がんばったら称賛される。そういう世間の手のひら返しに嫌気が差しちゃいました」

また、てんちむからすると「炎上劇は長すぎた」らしい。

「何事も同じテーマを扱うのは3か月が限界で、それ以上はやる側も見ている側も飽きちゃうと思ってます。でも炎上劇は返金っていうリアルな事情と連動していたんで、8か月くらい続いちゃったんですよね。終わったときは最初ほどの勢いがなくて、炎上のイメージを引きずっちゃいました。**いい加減に〝炎上した女〟って楔を切って、新しいイメージを作りたかったんです**」

2021年はコロナ禍真っ只中でもあり、自粛生活を強いられてずるずると家で過ごす日々に、てんちむは息苦しいマンネリを感じていた。刺激的で鮮烈なトリプルワーク生活とのギャップも大きく「何かしなければ」という焦燥感があった。

そこで、海外の仕事を作って日本から出ることにした。風吹けば変わる世論をコントロールするのは難しい。であれば〝てんちむ〟がネットニュースになる日本から出て、環境を丸ごと変えてしまえばいい。

「コロナ禍で海外に行くのはタブーな雰囲気だったから、仕事って名目を作ってから海外に行きたかったんです。きっかけは友達がアパレルブランドを出したいと言っていたこと。海外向けのデザインだったので『私がモデルをやるから、海外に出店しない？』って誘って、知り合いの業者を紹介して、パリ出店に向けて撮影や立ち上げ準備をすることにしました。日本でもアパレルブランドの立ち上げはできますけど、海外に行くために自分で提案して強行突破したんです」

てんちむ自ら友達のアパレルブランドをサポートする形で海外仕事を作れたのは、海外展開が実現するコネクションやモデルをするポテンシャル、ＰＲする影響力などが揃っていたからだ。そうそうできるものではない。

友達の仕事でさえ自分にとってプラスになるように調整し、なおかつ相手にとってもプラスになるＷｉｎ-Ｗｉｎの状態にして「海外に行く」という目的を達成する行動力はすさまじい。

バッシングを避けるため、動画では「仕事を受けて海外に行く」と伝えた。海外シリーズは日本からの逃避旅行であるとともに、新しいコンテンツ作りも担った。

「普通に生活してたらそうそう話題なんて生まれないから、自分で作らなきゃいけないんですよね。炎上やコロナで抑圧されて日本の価値観に囚われてる自分も嫌だったし、動画の新しいネタを作ってイメージも変えたかったんです。ストレスがきっかけですけど、そもそも海外旅行が好きだし、自粛生活で家に引きこもってても やることがないから新しいコンテンツを作りたいし、仕事もできるしっていう複数のメリットがありました」

能動的かつ効率的なてんちむの思考がよく表れている。代理店に伝えると「海外に行くんだったら」といくつもの仕事が舞い込んだ。

その思惑通り、炎上劇の終焉とともに燃え尽きていたてんちむは「私、まだまだいけるじゃん」と息を吹き返すことになる。

「コロナ禍に海外」って非常識が受けた

ポジティブな理由もネガティブな理由もてんこ盛りだった海外シリーズは、コロナ禍の海外旅行という希少なコンテンツになり、ヒットした。当時の人々には「コロナ禍の海外はどうなってるんだろう？」という興味関心があり、**コロナ禍に海外へ行く〝常識の逆張り〟**が効いたのである。

「日本ではまだマスク必須の自粛生活が推奨されてましたが、海外はマスク不要の国も多くて、動画を通してのびのびした景色を見られたのがよかったのかなって思ってます」

「コロナ禍に海外旅行なんて」と一部非難されたが、仕事という正当性があり、年末まで日本に戻らない長期旅行であったため、炎上はしなかった。自由に堂々と旅するてんちむの好感度が高かったことも追い風になった。

前回の炎上が大きすぎて、てんちむが何をしても驚かない風潮も生まれていたように思う。

何事もプラスの側面があるものだ。

コロナ禍の後もてんちむは定期的に海外動画を出しているが、当時の反響には及ばない。海外シリーズはタイミングがよかったと語る。

「ヒットコンテンツを作るには、人が気になるポイントを押さえるべき。当時は〝炎上後のてんちむ〟が〝コロナ禍の海外〟に行ったからヒットしたんです。炎上後の私の動向は注目されていたので、そんな人がコロナ禍で海外旅行をしていたら見たくなりますよね」

海外仕事をベースに旅行スケジュールを組みつつ、合間には自由気ままな一人旅をした。日本のように「てんちむだ」と指差されることがなく、人目を気にせずのびのびと過ごせるのがうれしかった。

カメラ片手に気分の赴くまま奔放に飛び回るてんちむの行動力と財力に憧れる視聴者も多く、海外動画には好意的なコメントが並び〝てんちむ〟のイメージも更新できた。

「今まで『てんちむの動画見てます』って言ってくれる人は、ウーバーイーツ動画を見ていることが多かったんですよ。確かに人気が出た企画ではあるんですけど、結構前の企画で『私の印象が更新されていないんだ』って複雑だったんです。

海外シリーズを出してからは『海外の動画でファンになりました』って人も増えて、ようやく世間のイメージを今のてんちむにアップデートできました。ちゃんと今を生きられてよかったって思いましたね」

ＳＮＳが主戦場のインフルエンサーは、今を生きなければオワコンになり死んでしまう。海外シリーズは一部から「海外逃亡」と揶揄されたが、**炎上の楔を切るきっかけになり〝てんちむ〟を延命した。**

〝橋本甜歌〟中心で生きる最後のチャンス

てんちむは海外へ発つにあたり「**内面を深めたい**」とも思っていた。

これは古参ユーチューバーあるあるで、アラサーあるあるでもある。20代が終わり若さという無条件のエネルギーが失われていくなかで「このままでいいのか」と逡巡する。年齢を重ねても失われない能力を蓄積しなくていいのかと、成熟に向けた課題にぶつかり、不透明な焦燥に駆られ、居ても立ってても居られず暗中模索で走り出そうとする。

暴発した行動力の行き場になりやすいのが旅であり、海外である。今までの自分を覆っていた環境や肩書きや人間関係が届かない異国の地を、人間力をむき出しにする挑戦の場として活用する。

海外シリーズ時の心境を、てんちむはこう綴る。

当時は27歳で、海外に行くには色々ちょうどよかった。

いつか結婚するかもしれないし、そしたら独身の１人の時間はもう今しかない。ただ年だけ重ねた中身がない人ってどうも魅力を感じなくて、経験を積みたかった。

恋愛をしていなかったのも大きい。好きな人が日本にいたら会いたい衝動が出るけど、炎上の後でそんな人がいないから「自分が自分らしくいられるのは今だ！」と思った。

行く国の順序が思い出せないほどの無計画な旅だった。

思い立ったら即行動、八分腹満たしたら次の国─あっつい砂漠行った次に極寒のところ行ってオーロラ見たり、アマゾン川でイモムシ食ったり、マフィア息しまくりの超治安悪い国行ったり。Ｇｏｏｇｌｅマップ開いて「次どこ行こうかな〜」って考えていた。

時間もお金も何も気にせず、普通だったら経験できないことを体験するのは最高で、とても動物的に動いていた気がする。

動画のコンテンツにして再生数を伸ばせたのも、モチベーションになった。日本はすごくコロナ対策が厳しかったけど、海外はわりとラフ。自分のファン以外の方も「海外はどうなってるんだろう」って興味を持ってくれるコンテンツだったから、てんちむの新しい入り口になった。海外編から自分を知ってくれた人が多い。

動画！仕事！って取り憑かれず、海外でいろんなところを冒険しながら、片手間で仕事する感じもとても良かった。

周りから「動画見てるけど、日本に帰ってくる気ある？」って聞かれたけど、あのときは「いつまでも海外にいれる」って思ってた。半年の旅だったけど、一年半くらいは自分の好奇心がある限りいられたと思う。

結局、年末にＲＩＺＩＮに出演するから日本に帰国しなきゃいけなかったけど、本当に日本に帰りたくなくて、日本に帰るストレスが異常だったのを覚えてる。

なんであんなに帰りたくなかったんだろう。

楽しい時間が終わるからなのか、また人目を気にする生活を送るのが嫌だからなのか。
それとも、前みたいな自分に逆戻りするのが嫌なのか。

海外に行って羽を伸ばす人は多いだろうが、知名度がある人は輪をかけてそうだ。知名度は不自由と引き換えに得るものでもあって、日本だとすぐ人目について指を差されてしまい、ゆるく監視されている状態だ。海外であれば一般人同様に無名の人として過ごせる。

てんちむは本来自由でいたい人だから、日本に帰るのが嫌だったのだろう。ゆるく監視される日本で、人目や再生数を気にして仕事に囚われる自分に戻りたくなかったのだ。

痴漢ヒッチハイクも笑い飛ばす

てんちむはタワマンに住む美女だが、路地裏の少年のように奔放だ。本人も「海外だと自分らしくいられる」と言ったように、海外で過ごすてんちむは一段と開放的で、とにかく自由だった。気の赴くまま人気インフルエンサーとは思えない破天荒な行動を繰り広げ、バックパッカー経験がある澤田さんをも圧倒した。（澤田さんは、代理店の案件担当者として一部同行していた）

特にぎょっとしたのが、アメリカでのヒッチハイクだ。それは澤田さんの冗談から始まった。

「てんちむさんに『フロリダからマイアミに行きたい』って言われたんですけど、約330キロも離れているのに飛行機はないし、レンタカー借りるには国際免許証が必要だし、どうしようかってなって。それでも『マイアミ行きたい、マイアミ行きたい！』って連呼するから『じゃあヒッチハイクしかないっすね』って冗談で言ったら『澤田さん!!それいい!!』ってめちゃくちゃ乗り気で、へーてんちむさんってこんな提案も刺さるんだって思いました」

とはいえ、マイアミまで車で6時間もかかる。ホテルのスタッフには「ここからヒッチハイクでマイアミに行くなんてクレイジーすぎる」と笑われたが、ヒッチハイクに憧れていたてんちむはどこ吹く風で道路に立ち「ちょっと待って、楽しいんだけど！」と飛び跳ねた。ヴィトンのミニスカワンピース姿で親指を立てると、やたら目立つからか数分で車が止まった……が、車内は信じられないほどゴミだらけ。床に紙コップや紙が散乱しており、足の踏み場もなかった。

それでも動じることなくヒッチハイクを続け、１日目はスタート地点から約１１０キロ地点で一泊した。

残りは約２１０キロ。それまで「うちらが会う人、いい人多くない？」と目を輝かせていたてんちむだが、**２日目の一発目で乗り込んだ車が壊滅的によくなかった。**澤田さんは渋い顔で当時を思い返す。

「その車の運転手は、短パン１枚のファンキーなおじちゃんでした。マイアミも近いし、この辺はこういうスタイルなのかなって気にしなかったんですよ。でも、車がめっちゃ汚くて後部座席も物だらけだったんで、てんちむさんにはスペースがある助手席に座ってもらって、僕は後部座席に座ることにしました」

しかし、てんちむが助手席に座ると、運転手はサッと短パンを下ろして局部を出した。不思議なくらいのポーカーフェイスでてんちむを見つめている。てんちむが即座に「ねえねえ

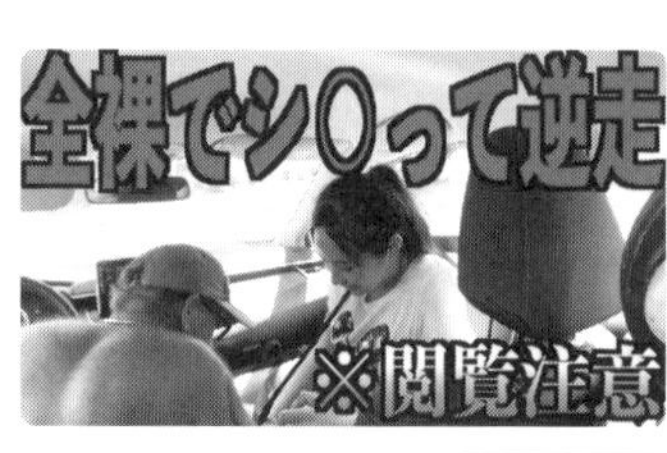

【衝撃】ヒッチハイク、マジ危険。これがリアル

澤田さん！やばいかもしれん」と騒いで澤田さんが身を乗り出すと、笑顔でサッとしまう。てんちむは「なんかソーリー」と言った。

澤田さんが後部座席に座り直したとたん、また運転手は局部を取り出して元気になろうとする。てんちむはのけ反るような体勢で窓際に寄り、運転手と距離を取りながら前を指さして「ゴー、ゴー！」と発車を促す。車は発車し、片手ハンドルで運転していた運転手も間もなく発射した。

澤田さんは少しでも早く降りようと、運転手に必死で交渉した。

「マジで怖かったです。でも車に乗ってるし、ハンドル握っているのは向こうだし、怒らせて荒い運転されたら大変なんで、穏便に交渉しました。てんちむさんには極力相手を見ないよう、窓の外を見てもらってましたね」

20分ほど経って何とか下車し、事なきを得た。あったけど。

てんちむは「アメリカのヒッチハイクだったらこれが普通なのかもしんないね」と笑い飛ばしたが、澤田さんは「なわけない」と萎えていた。

「どっちかっていうと僕が女の子寄りの感情で、てんちむさんは男っぽかったです。僕が『最悪。本当にひどい』ってどんよりしてたら、てんちむさんは手を叩いて『マジ萎えてるじゃん！』って笑ってて。

あの状況を笑い飛ばせる女性ってなかなかいないから、てんちむさんっていいなあと思いましたね。てんちむさんが萎えてたら僕が逆に励ますんですけど、笑ってくれるから素直に萎えていられました（笑）」

その後、猛暑のなか1時間以上粘って2台目に乗り込み、「164万人の登録者がいるユーチューブチャンネルで宣伝する」と交渉して3台目を口説き、無事2日目でマイアミに到着した。

正直なところ女性としては危機管理能力がバグっているが、良くも悪くも肝が据わっていてアクシデントをおもしろがれるため、あらゆる悲劇を動画のネタにしてエンタメに昇華し、リセットできる。

澤田さんは、てんちむを「好奇心旺盛で何でも楽しめる人」と述べる。

「てんちむさんって普通の女の子が嫌がりそうなところでも男友達っぽく楽しんでくれるんですよね。アメリカ旅行でてんちむさんのイメージが変わって、動画撮影がてらインド旅行にも一緒に行きました。シャワーがついていなかったりゴキブリが出たりするホテルも『ヤバいね！でも、動画としてはいいわ』って楽しんでくれるから、こっちも楽しかったです」

本人は〝てんちむ〟の鎧を脱げる海外生活を心地よく思っていたが、だんだん異国の刺激に慣れて好奇心が薄れていくのを感じていた。年末には日本での仕事があり、半年間の海外シリーズに終止符を打って帰国した。

炎上リセットボタンは「開き直り」

自虐ネタ「豊胸ラップ」が大バズり

炎上からわずか2か月のタイミングで公開したヒット動画**『てんちむfeat.田中聖 豊胸DRIFT FREESTYLE』**もリセットによるアップデートの一環だ。公開されてから1日経たずして100万回再生を突破し、現在は約800万回も視聴されている。

これはコロナ禍にユーチューブでバズった『TOKYO DRIFT FREESTYLE』企画で、『TERIYAKI BOYZ® TOKYO DRIFT』のトラックに自分の歌詞を乗せてラップを披露し、ホームメイドビデオにして公開するものだ。

「TOKYO DRIFT」を「HOKYO DRIFT」にしてしっかり韻を踏み、豊胸による炎上のあらすじを自虐ラップにして披露することでネタに昇華した。

豊胸隠しちゃったバスト
まず当然タワマン　to アパート
自業自得だ 天から地
Brain はナシ ええ話も縁はナシ
足元見えない天下は shit
それこそ橋本甜歌だし
天然乳無し「天乳無」って
アンチのネーミングセンスに脱帽
マジ草って言葉もマズそう
炎上しだすと戦場になるぞ
渇望するのは金よりヤニ
稼いだ money はスロットがいい
壊れる Pride? 最初からない
1 から Try ここから Fly
スッピンに部屋着で groovy に奏でて
GUCCI にエルメス売っては謝る

【MV メイキング】
てんちむ feat. 田中聖
豊胸 DRIFT
FREESTYLE

Freakyな生き様フリーターに送るわ
休みは朝からヒッキーに限るワ
BTW腹減った飯食いてえ
ねぇ、来てUberEatS♡
有頂天てかあたしの本当の幸せが来る日はいつ？
クリーンなキャラにはなれないし？
裏垢・豊胸・草・テカテカBitch？
Keep checking my story out
テンパってたってしゃあねぇぞ

てんちむ feat. 田中聖
豊胸 DRIFT
FREESTYLE

当時、てんちむは小さいアパートに住んでいた。すでに「謝罪・反省・行動」の3ステップを踏んで応援の声は増えつつあったが、トリプルワークは始まっていないまだまだこれからの時期で、返金に向けて活動量を増やすにあたり大々的に開き直る必要があった。

慢性的な自己卑下は他者の感情を逆なでして攻撃的にさせる。炎上後は低姿勢でいることも求められるが、いつまでもへこへこしていると〃悪いことをした人間〃というイメージが定着し、延々と〝叩かれて当然の人間〟になってしまう。
てんちむは「**どこかで開き直らないといけない、でも普通に開き直ってはいけない**」と考えていた。

「あわよくば開き直りをネタにしたいって思ってましたが、ただネタっぽく開き直るのはちょっと痛いし『本当に反省してるの？』って疑われやすいんで、工夫が必要なんですよね」

確かにてんちむがいつものギャル言葉で「もういいっしょ！」なんて言おうものなら、やや常識外れな人間性が直っていないように見えるだろう。そういった意味で、ただ開き直るだけではダメなのだ。
てんちむは「**炎上後の開き直りは、おもしろければ許される**」と続ける。

「ちょうど流行ってた『ＴＯＫＹＯ ＤＲＩＦＴ』で炎上ラップのミュージックビデオを作ろうってピンと来たんです。自伝や炎上話は、ラップにすると重すぎず痛すぎずの作品に中和されて相性がいいんですよね。ミュージックビデオなら自分のかわいいところもアピールできるし、てんちむのキャラにも合ってる気がして『開き直るならこれしかない！』ってくらいうまくいく確信がありました」

確信は現実になった。コメント欄は単純な賞賛より「この人マジですごいな。炎上を本気で売って仕事にしてる。マジ根っからの商人だわ。なんか性格うんぬんは知らんけど仕事人間として尊敬した」「てんちむのカリスマ性はもう天性の物だな」「この逆境からの行動力、商売人として優秀すぎる」と炎上からの切り返しへの感嘆が目立つ。

返金はそれからも続いたが、『豊胸ＤＲＩＦＴ』はてんちむらしい発信に切り替えるターニングポイントになった。

目も当てられない失敗をして人生の汚点が刻まれたとしても、それを受け入れないと前には進めない。ずっと「間違いだった」「悪いことをした」と自分を否定し続けても、息苦しいだけだ。「こうすればよかった」と後悔し続ける日々は、自分を追い詰めるばかりで何も好転しない。

立ち止まったまま開き直るのはただの居直りだが、開き直って歩き出すのはポジティブなリセットボタンになる。『豊胸ＤＲＩＦＴ』は前に進むための開き直りだった。ときには開き直って、新しいゲームを始めていいのだ。

意思ある開き直りはアップデート

返金が完了してからも、開き直りによるアップデートを続けた。その1つが**ハイブランド爆買い企画の復活**である。てんちむはユーチューブにおけるハイブランド動画の先駆者で、ハイブランド品の爆買いが人気企画だった。返金に伴ってハイブランド品を売却してからはしばらく購入を控えていて、復活にあたって勇気が必要だった。

「トリプルワーク中にお客様からハイブランドのドレスをいただくこともあったんですけど、あまり出さないようにしていたんですよね。開き直らない限り一生炎上にとらわれて進化できないから、もう隠さずに出していこうって踏ん切りました」

海外に発ったばかりの2021年9月、パリにて総額500万円ものハイブランド爆買い企画を再開した。数か月前まで睡眠時間2時間のトリプルワークをしていた人とは思えない。

私をパリで散財させたら
こうなります

批判コメントはほとんどなく、てんちむの復活を讃えるコメントが多かった。「てんちむは何があっても這い上がってくると思った」「1年前の炎上で、ここまですぐに復活すると思った人はいただろうか」「金を使う才能も生み出す才能も天才過ぎる」などなど、復活を喜ぶ視聴者が多い。やっぱりてんちむはこうじゃなくちゃね、と。

自腹返金をしてトリプルワークで身を削ったてんちむだから、炎上後のハイブランド爆買いがこれだけ好意的に受け止められた。返金という形で責任を果たさなかったら、ちょっとした贅沢であっても「無責任だ」と叩く人がいたはずだ。「豊胸詐欺でだまし取ったお金で贅沢している」と非難する人や、黙ってチャンネル登録を解除する人が出ただろう。

追い込まれて苦しいときにこそ大事な決断が迫ってくる。せり上がる不安や恐怖に怯むと判断力が落ち、一時しのぎの自己保身に走って未来の自分を殺す。

炎上して罵詈雑言の矛先になったてんちむも、「全身整形して〝てんちむ〟を辞めたい」と揺らいだ。それでも胸の奥で「2億2000万円ぽっちで終わってたまるか」と抗い、「悔いなく今後の人生を生きたい」と願って責任を負ったことが、その後のてんちむを生かした。

どれだけ罵倒されても、自分の意思を捨てたら戦えない。過去の自分に未来の自分を縛る権利はない。心の核にある意思に背きさえしなければ、いつだってリセットボタンを押して再起動できるのだと、ハイブランドの山が語っている。

お金は手段であり幸福ではない

心の話をした直後に恐縮だが、お金の話もさせてほしい。**てんちむがスムーズにリセットできた理由の1つに、財力もある。**『豊胸ＤＲＩＦＴ』制作もハイブランド爆買いも、そして海外シリーズも、かなりの金額を投資している。

『豊胸ＤＲＩＦＴ』はてんちむとアシスタントのしんちゃん、交流がある田中聖さんとの3人で作り上げた。ミュージックビデオ制作のディレクションはてんちむとしんちゃんが行い、その他の作業はてんちむの人脈をフル活用してハイクオリティの作品に仕上げていった。

「知り合いに曲作りや撮影をやってもらったんですけれど、ロケハンとか撮影の監督をしたのは私としんちゃんです。私がしんちゃんにバーッと要望を伝えて、しんちゃんがセンスある形に落とし込んで、カメラマンに撮影してもらいました。編集は7割が私、3割がしんちゃんです」

自分たちも制作に参加しているとはいえ、複数の場所でコスチュームを変えながら撮影した豪華なミュージックビデオである。いくらかかったのか聞くと、**150万円**近く注ぎこんだと言う。多くは撮影費で、カメラの機材や照明のレンタルにお金がかかった。返金に追われるなかで150万円！と恐れおののくが、そこまでこだわって質の高いミュージックビデオにしたから初日で100万回再生を突破し、現時点*で約800万回も再生されているのだろう。

炎上から浮上するきっかけとしてはコストパフォーマンスが高い必要経費だとも言えるが、制作時点ではどれだけの成果がでるか不明でコストパフォーマンスなんて知る由もない。てんちむは150万円くらい造作もなく稼ぐ自信があったわけだ。

＊2023年夏

『豊胸ＤＲＩＦＴ』に１５０万円、ハイブランド爆買いに５００万円。これらがかわいく見えてしまう出費が海外シリーズの旅行費である。

パリ、アメリカ、ガラパゴス諸島、エクアドル、果てはアマゾン川にまで行き、４か月かけていくつもの国を転々としていたてんちむは、どれくらいお金を使ったのか。その金額を聞いたとき、昭和のコント番組のように椅子から転げ落ちそうになった。

「**トータルで２０００万円**くらいですね。移動距離がめっちゃあって、飛行機代がやばかったんですよ。５時間以内だったらエコノミーでもいいんですけど、５時間以上だったら絶対ビジネスじゃなくちゃ嫌で。しかも搭乗アクシデントが多くて、突然チケット取ったり乗り継ぎに間に合わなくてチケット無駄にしたりで余分にかかった費用もあります」

ビジネスクラスのチケットを無駄にしたら普通は慟哭ものだが、億単位の返金を乗り越えた胆力と財力を持ち合わせているてんちむは切り替えが早い。

もう無理、本当に限界

ただ、ガラパゴス諸島への一人旅では複雑な搭乗手続きと言語の壁で乗り遅れそうになり「もぉ、もぉ、もぉっ……ねぇマジで泣きそう、絶対この飛行機乗れない。もう、本当にムカつく……」と涙をこぼし、帽子を深く被って顔を隠している瞬間もあった。

そこから無事ダッシュして間に合うまでの様子を常にインカメラで撮影し、動画公開できるあたりがさすがだ。ヤラセじゃないかと思うかもしれないが、見ればわかる。マジである。

てんちむは「自由に動き回れる環境とお金があるから、行動力の鬼になれる」と言う。**お金は手段であり、選択肢の幅を大きく広げるブースターだ。**自由に生きたいから、稼ぎ続けている。

お金も腹八分目がいい

「**お金は使わなかったらただの紙切れ**」と言うてんちむは、経験のための支出も惜しまない。海外旅行のなかでもアマゾン川のアテンド・ツアーは高額だったが、希少な経験を得るための投資だと捉えた。

「**お金を使うっていうのは、経験を買うってこと。**アマゾン川みたいに特殊な場所に行くのはお金がかかるから、そこでの体験が得られる人は多くないじゃないですか。そういう希少価値のある経験は自己投資の意味で買ったほうがいいって思ってるんです。中身を磨く自己投資になるから大事なんですよね」

てんちむが「内面を深めたい」と言っていたように、海外シリーズの裏テーマは自己成長だった。未知の体験をしたときに自分がどう思うかを知り、今までなく自分と対話できたと語る。それができたのはお金があったからでもある。

「てんちむってポジティブだねとか行動力があるねとか言われるんですけど、お金のおかげでもあるんですよ。お金があるから行きたいところに行けるし、臨機応変に対応できるんです」

海外に発つ数か月前、返金に追われたてんちむの口座残高は10万円だった。海外に滞在している最中にいくつもの案件を引き受け、連日ユーチューブに動画を投稿し、海外旅行そのものをコンテンツに変えて仕事にすることで、海外旅行にお金を使いながら稼ぎ、2000万円分の海外旅行を実現した。

お金がなくても挑戦や再起はできる。２０００万円もなくたっていろんな国に行ける。ただ、**お金には可能性と選択肢と勇気を拡大し、思い切った決断を後押しする力がある。**生活費もままならない状態で、ままよ！とリセットボタンを押すのは無謀だ。

財力は経済的自立とイコールであり、自分の意思を尊重する礎になる。血の滲む返金生活でそれを体感したてんちむは、貪欲に稼ぐことをやめなかった。たかがお金、されどお金なのだ。

しかし、てんちむはお金至上主義者ではない。ユーチューバーになる前は「**お金を稼いだら幸せになれる**」と信じていたと言う。

「お金を稼ぐためにユーチューブ活動を始めたら、人気になるにつれてしがらみや誹謗中傷も増えて『お金を稼いでも全然幸せじゃないじゃん』って気付いたんですよ。入ってくるお金がストレスに比例しているように感じることもあって、すごくしんどくなったとき『**私はこんなに心を貧しくしてまでこのお金が欲しいのか？**』って**自問して、いらないと思っ**たんです。お金は心の余裕を生むけど、幸せになる手段にしか過ぎないんですよね」

むしろ「**お金は持ちすぎないほうが幸せ**」と考えている。多くのお金があると贅沢を知り、平均的な生活レベルに落とせなくなる。身の回りにお金持ちが増え、自分より上の世界も見えるようになり、劣等感や欲が生まれる。

「上の世界を知らないほうが現状に満足しやすいんですよ。発展途上国だけど幸福度が高くて『世界一幸せな国』って言われてたブータンが、スマホが普及してから国民が他国と比べるようになって、幸福度が一気に下がったって話を聞いて、何でも上を知ればいいってわけじゃないないなと思いました。**一人の人間として必要な分だけ稼ぐくらいが幸せなんじゃないかな**」

しかし、てんちむの行動は「必要な分だけお金を稼げばいい」というものには見えない。タワマン・ハイブランド・ウーバーイーツといったイメージが定着しているように、多くを稼ぎ、気前よく使うライフスタイルだ。

「私はインフルエンサーで自分を発信しているから、かわいい服を着たほうがいいし、楽しいことに挑戦したほうがいいし、いろんなところに行ったほうが目立てるし、ネタを作れます。

ついつい『お金があるに越したことはない、もっとがんばって稼がなきゃ』って思っちゃうんですけど、バッシングされながら得たお金で贅沢しても幸せじゃない。インフルエンサーじゃなかったら、もっと腹八分のお金で生きられる気がします」

刺激中毒のてんちむは、腹八分主義だ。満たされると世界が色褪せていく。海外シリーズでも「あと2～3日滞在したいな」くらいで次の国に行くのがちょうどよかった。腹八分でわずかな心残りを抱えておくことが、飽きずにロマンを持ち続けるコツだ。

あらゆる刺激は花火のように爆ぜて、儚くひらひらと舞い落ちる。すぐ次の花火を打たなければ輝かしい日々は続かない。インフルエンサーがSNSのコンテンツとして消費される昨今、生き残るには消費され尽くさないようアップデートし続けなければならない。てんちむ流に言えば「喰われる前に喰う」ということだ。

そういった意味で、刺激中毒なてんちむの飽き性は強みでもある。

「定期的に自分に飽きて『このままだとつまらなくて嫌だ』って思うタイミングが来るんですよね。大体は安定しているときか、でっかい目標がないときです。海外に行ったのも、このままステイホームの日本で変化なく過ごすのが嫌だったからだし、マンネリした環境にいるのは時間がもったいないって思っちゃうんですよね」

2000万円の海外旅行を味わい尽くしたてんちむは「本当に必要なものはほとんどない」と知った。装飾品にまみれていくと、本当に大事なものが見えなくなる。

それを痛感したのは、**海外のホテルでゴキブリに遭遇し、芋虫を食べたとき**だった。

人生に必要なものはほとんどない

南米のジャングル地帯を旅していたてんちむは、ゴキブリが徘徊するホテルに泊まったり、アマゾン川のローカル食である芋虫を食べたりした。

調理された食用芋虫ではなく、頭が赤黒くて体が薄い黄土色の、ものすごく立派なむっちりした芋虫だ。それを素手で掴み、うにょうにょ動いている状態で生のまま頭からかじって食べたのだ。

アマゾン住み原住民の家へ、マジ理解不能

先に現地の人が食べると、かじった瞬間に体液がボタボタとしたたり落ちた。真横で見ていたてんちむは「うわ」と眉をひそめたが、その表情のまま「オウケイ！」と頷き、頭からガブリといった。神妙な顔でガジガジとしばらくかじり「いっぱい噛むと液体が出てきます」と周知の事実を述べてから「芋虫って言われなければ平気。あっ、刺身みたいな味する。マグロ」とホントか？と聞き返したくなる食レポをした。

その後、焼いた芋虫も食べた。咀嚼中に「その芋虫は成長すると蛾になる」と言われ「マジで？ホントに（食べて）大丈夫？」と笑いながら飲み込んでいた。5億円返金と同じくらいすごい。

そんな体験をいくつも重ねたことで、てんちむは「私って頑丈なんだな」と気付いたらしい。てんちむ以外は気付いていた気もするが。

「別にゴキブリと一緒に寝るのも大丈夫だし、芋虫食べるのも『ローカルなものを食べたい』って思ってたからあんまり抵抗なかったです。日本ではいい家に住みたい、ウーバーイーツでおいしいもの食べたい、かわいい服を着たいって欲があったんですけど、それがなくても生きていけるなって知ったんですよね。いろんな執着がなくなったんですよ」

家で過ごす時間が長いてんちむは家の広さや住みやすさを重視していたが、炎上による転落で小さなアパートに引っ越してもさほど不自由を感じなかった。海外でシャワーやトイレがなくゴキブリまで出る宿泊先に泊まっても「別に寝れればいいや」と適応できて「どこでも生きられる適応能力がある」と自覚したらしい。

「海外だとてんちむを知っている人がいないから見た目を気にしなくていいし、どんな環境でも適応できるから広い家も必要なくて、服と家への執着がなくなりました。生きてくうえで本当に大事なものってめっちゃ少ないんですよ。でも見栄とかプライドで欲しいものが増えて、大事なものが見えなくなっちゃう」

「大事なもの」とは何か聞くと、「**自分の心**」と返ってきた。

「自分の心が本当に一番大事。私はどうしたいんだろうって考えると、もっとプライベートを大事にしたいって結論に至りました。てんちむでいるとプライベートをおろそかにしちゃうから、**てんちむを辞めない限り幸せにはなれない**って思うんですよ。これは今に始まったことじゃなくて、前からずっと言ってることですけどね」

てんちむを辞めたい。

炎上前も、炎上中も言っていたことだ。でも、努力して返金を終えて「てんちむでよかった」と思ったのではなかったのか。

てんちむはバーレスク東京の卒業公演を終えて、目尻を拭いながら「私に生まれてよかった」と言った。その「私」というのは「てんちむ」ではなく「てんちむをまっとうした橋本甜歌」だったのだろうか。

お金にも〝てんちむ〟にも、執着がない。だからいつでもリセットボタンを押せてしまう。

リセットボタンはてんちむの延命装置になっていたが、リセットして延命できてしまったがゆえに、てんちむによって殺された心を生かす機会は奪われ続けたのかもしれない。自分の心と向き合い育てる間もなく、次々にリセットして新しい自分を作った。

それが幸か不幸かは、本人にしかわからない。

自由の対価は捨てる勇気

3か月待っても嫌だったら捨てる

てんちむにとって**逃げは軌道修正**であり、**ストレスを軽減する手段**だ。抗いようのないストレスを感じたら、迷わずリセットボタンを押してきた。

「根本的な思想として、ストレスを溜めたくないんです。特にストレスなのは、したくないことをしなきゃいけない環境や状況にいること、時間やお金を無駄にすること、予測できる未来への安定したレールを歩くことの3つ。

行きたい方向がコロコロ変わる人間なので、いつでも感情のまま方向転換できる身軽な環境をキープするために少数体制を選んでいます。大人数だと責任が伴って自由じゃなくなるので、スタッフはしんちゃん1人だけでいいんです」

少人数でも次々に好きな方向へ進めるのは、てんちむに行動力と達成欲があり、これまでの活動で影響力や人脈を作ってきたからだ。一般人が、ましてや雇われの社会人が「ストレスは溜めたくない、したくないことはしない」なんて言ったら「甘えるな」と一蹴されるだろう。

一般人が同じように進むにはどうしたらいいかを問うと、上を向いて「うーん」と唸った。

「**やめる勇気**かな。よく『今の仕事がすごくつらい』ってメッセージが届いて『そんなにつらいなら辞めちゃえば』って思うんですけど、環境を変えると失うものがあるから勇気が出せないんじゃないかなって。

私は行動力があるだけで勇気はそんなにないと思ってるんですけど、『**このままの状態で、私は本当に幸せなのかな？**』**と自問自答して**『**幸せじゃない**』って**気持ちが3か月間続いたら辞めます。辞めるって決めたら、その後の戦略を考えて行動します**」

違和感に気づいたときが自問自答するタイミングだと言う。

てんちむはユーチューバーになってから何度も方向転換し、軌道修正している。**大きな方向転換はゲーム実況をやめたことだ**。ゲーム実況への違和感が大きくなり、楽しさよりストレスが勝ったからである。

「世界ランカーになるくらいのゲーム廃人で本当にゲームが好きだったんですけど、ユーチューブで仕事にしてから嫌いになりかけました。バズるために自分がキャラに汚染されたり、治安悪いコメントでストレスが溜まったり、ゲーム実況者としての限界も見えたりして、楽しくなくなっちゃったんです。ゲームを嫌いになる前に終わりにしようって思って、ゲーム実況をやめました。

チャンネルを一本化してから『ゲーム実況を辞めて正解だったね！』と周りに思わせるために、メインのチャンネルに集中して自分をさらけ出すコンテンツを増やしました。女性人気が上がって男女比率が逆転して、共感コメントが増えたおかげでストレスが減ったんです。ちゃんと正解にできましたね」

複数の違和感が3か月続いたら、今後の戦略を立てて辞めるという手法の実践例だ。**行き詰まったらリセットするのは直観力を高める行為**でもある。思考と行動にメリハリをつけると、瞬間的な判断力が上がるのだ。

その都度リセットしてブラッシュアップした結果、チャンネル登録者数170万人の女性ファンから強烈に推されるてんちむに生まれ変わった。

その知名度ゆえに近づいてくる人も多く交流が活発なてんちむは、人間関係も違和感に応じてリセットしている。

「今まで仲良くしていた友達もライフステージが上がっていくと価値観が合わなくなって、一緒にいても楽しくなくなったりするじゃないですか。そしたら**今の自分には合わないんだって解釈して、今までより距離を置きます**。仕事関係の人でも自分の足を引っ張ってくる人とか、ネガティブな影響を与えてくる人とは距離を置きますね」

自分の感情に素直になり、仕事も人間関係もその都度最適化する。

それを逃げと呼ぶか、方向転換と呼ぶか、リセットと呼ぶかは人それぞれだが、主体的に選択して最善を尽くせば最終的には納得できる。

環境やしがらみによって選ばされるのではなく、自分の意思で選ぶことを勇気と呼ぶ。

自由に耐える自信はあるか

自分の意思で行きたい方向に舵を切れるてんちむは自由だ。本人も「本当に自由が好き」と目を光らせる。

そんなてんちむに憧れる人は多いが、実際には自由を選ばない人が多数派だ。正確に言えば、リスクを負ってまで自由を選ぼうとしない。安定と自由を天秤にかけ、安定を選ぶ人が多い。

自由に生きるてんちむは、自由を使いこなす器を持っている。

「**自由に伴う器がなかったら、自由を与えられてもうまく使いこなせない**んですよ。人それぞれ、その人の器に見合った自由の量があると思います。突然、普通の人に大きな自由を与えても『これをどう使えばいいんだろう』って持て余しちゃう。

自由を受け止める器は力量と自信からできています。力量と自信がないと、自由を手に入れたところで無駄にしちゃう。自由が欲しいなら、自分の力量と自信をつけるべきですね」

自由は誰も縛らない。ゆえに、糸の切れた凧のように予測不可能だ。「予想外の展開が降ってきても大丈夫、何とかする」と思える力量と自信がない人にとっては、**自立自走が求めら**

れる自由は恐怖にもなる。

「よく視聴者の方から『てんちむちゃんみたいに強いマインドになりたい』って言われるんですけど、自信があるから屈さないで堂々としていられるし、万人受けより自分受けを優先するから強い女性になれるんですよね。

でも、中学生の私が同じ立場にいたら浮かれたりビビったりしてると思うんですよ。自信って、これまでの経験から生まれるものなんです。**喜怒哀楽をめいっぱい経験して、いろんな場所に行って新しい価値観に触れて、内面が成長したら自信を持てます。**ハプニングが起きても、それすら受け入れて楽しもうとする心が育ちます」

そう頷くてんちむは、好奇心に従って動き、何事も体験から学んできた。失敗したら、自分で立て直した。違うと思えば、逃げた先で成功させた。それらの経験が耐える力や動じない力になり、**自信になり、糸の切れた凧に飛び乗る勇気になっている。**

覚悟がないまま自由を受け取っても、怖くなって捨ててしまう。何か起きても自分で責任を負って自立自走する覚悟のある人間にしか、自由は訪れないのだ。

白黒思考で都合よく捨てる

てんちむは物事を0か100かで考える白黒思考の持ち主だ。局面ごとに「一番合理的な選択はどれか」を考え、選ぶ。コスパを考えることもあれば、精神的ストレスを考えることもある。そのときのてんちむにとって一番都合がいい選択肢を選ぶのだ。

炎上からの返金プロセスでも顕著だったように、迷う時間を嫌う。行動していないのにモヤモヤとした時間だけが過ぎていく生産性のなさが苦痛だと言う。だから「**自分は何をしたいのか」と目標を決め、そこまでの最短ルートを逆算し、すぐに行動する。**トラブルが起きたらその場その場で対処するスタイルだ。

人生の岐路で重大な選択が訪れても、すぐに決断して全力疾走する。炎上から復帰したのも、自腹返金を決めたのも、トリプルワークしたのも、コロナ禍で海外旅行をしたのも、今の自分にとって一番都合がいい選択肢を選び、ほかの選択肢を未練なく捨てた結果だ。

自分の選択を正解にできる力があるから、最終的には成功し、そのやり方が定着している。てんちむの揺らがない自信が本人に思い切った博打を打たせ、必ず成果に結びつける。

この白黒思考による決断を成功につなげるには、**精度が高い自己分析と理性的な判断**が求められる。

「何かを選択するときは必ず『私はどうしたいんだろう？』と自問自答します。『自分が何を楽しいと感じて、何をつらいと感じるのか』を考えるとわかりやすくなりますね。それから目標を決めて、人の意見を踏まえてリスクヘッジした戦略を立てます」

ここまで徹底しているから、遠慮ない白黒思考でバッサリ黒を捨てられる。それが本当に白かどうかは関係ない。自分が選んだ選択肢を白にすればいい。

ただ、自分にとっての都合のよさで選択する白黒思考は諸刃の剣でもある。本来であれば向き合う課題を切り捨てたり、ドライな人間関係に振り切ったりすることもあるからだ。

てんちむが都合のいい白黒思考をしてきた副作用が、大炎上につながったモラルの欠如であったり、大切な人の喪失であったりする。登録者数が増えて知名度が上がるにつれ、切り捨ててきた人間関係もある。炎上前のてんちむはよく「人間関係を断捨離する」と言っていて、顧問弁護士から絶縁状を送り付けることすらあり、冷たく残酷な印象も受けた。本人も、取材中に「あのときの私は冷たすぎたかな」とつぶやいた。

手間暇かかるものを「うっとうしく邪魔なもの」と判断して捨ててきたことは、仕事の効率を上げても、プライベートの心を乾かせた。

何かを捨てるには白黒思考で思い切った判断をするのも有効だが、損得勘定だけで判断するのは人間性の欠如につながりかねない。灰色を切り捨てる白黒思考は、いざというときの奥の手にしておくのがちょうどいいのかもしれない。

理想は決めない、目標は決める

理想や信念は束縛

捨てる勇気を持って自由を意のままにするてんちむに「自由の先に何を求めているのか」と水を向けると「**最終的な理想は決めていない**」と首を振った。

「理想を追うより、感情に素直でいたいんです。**理想に縛られるとそこに向かって一直線に走ろうとして視野が狭くなるから、盲目になってほかの可能性を見逃すんですよね。**あと、走ってる最中に『やっぱり右に行きたい』と思っても、理想が左だったら葛藤するじゃないですか。そうやって囚われちゃうのが嫌なんです」

てんちむに短期的な目標はあれど、長期的な理想はない。このスタンスも自由の源泉だ。理想がないから、確たる行動指針となる信念もない。その理由について、元恋人の溝口さんはこう語る。

「彼女はなまじ責任感が強いのもあって、自由を求めて束縛を嫌うがゆえに、各局面において自分の感情を優先してきました。不都合な物事と距離を置いたり、ぶつかって傷つくことを避けたりして生きてきたんです。

でも、**どれだけ避けても、投げ出しても、逃げ出しても、その場その場で成功してしまった。**家出して上京しても、芸能活動を辞めても、モデルを辞めても、人と向き合わなくても、それでもずっと成功してきた子なんですよね。個人の力で歩き続けて、いろんな人のいろんな感情を背負う人生を歩まなかった結果、〝等身大の野心〟が〝強い信念〟に変化することがなかったんだと思います」

根の部分に「絶対にこうありたい」という理想像がないのは、これまでの表仕事が影響している。

小学生で天真爛漫な人気子役〝てんかりん〟を求められれば、ニコニコ笑って天然な発言を連発した。中学生で人気ギャルブロガー〝てんちむ〟になってからは、ランキング維持のため1日3～5回ブログ更新し、自分の行動から感情まで全てをネタにした。ユーチューバーの仕事もその延長線上だ。目にした風景も、体験した物事も、心に生まれた感情も、全てをさらし続けてきた。

これをてんちむは「**メンタル売買**」と呼ぶ。視聴者のサンドバッグになっても、好きな時間に好きな場所で好きな格好で過ごす生活を維持するために、自分を売り物にしてきた。

世の中の風潮やニーズは日々変わっていく。ユーチューバーのように自分をコンテンツにして日常的に発信していく人は、ブレない軸があると無責任に移ろう視聴者の興味関心に合わせにくい。軸に沿ったコンテンツを擦って擦って枯渇してしまい、オワコンになるリスクが上がる。

インフルエンサーである以上、キャラクターの軸は必要だが、**行動の軸が固まるほどコンテンツの幅が狭まって持続力がなくなる**。自分をコンテンツにするなら、行動の方向性を決める信念や理想はないほうがいいのかもしれない。

誰の人生も背負っていない個人事業主は、自由だからこそ意欲を保てるかが生命線だ。自分の感情に従って「快か不快か」で行動を選択するのは、思いのほか大事だったりする。意欲がないのに義務感で無理すると、やる気を失って活動停止してしまう。持久走を求められるユーチューバーが「自分が楽しむのが一番大事」とよく言う理由もここにある。

てんちむは「**やりたいことをやるより、やりたくないことをやらないほうが大事**」という価値観を持っている。やりたくないことを回避するために行動するので、そこに理想や信念は要らない。こうした価値観には「向き合うよりもうまく付き合って、都合よく生きたい」という願望が宿っている。その結果が、自分の切り売りだった。

まだ人間的に未熟だった10代後半~20代前半で自分を売り物にするだけの知名度や能力を持ってしまったことは、不幸だとも思う。力の正しい使い方を知らないまま、分不相応な力を育ててしまった。皮肉にも、**自分を売るほど稼ぐことができた**。理想も信念も持たないほうが、仕事をするうえでは都合がよかった。

理想も信念も持たない代わりに、臨機応変な対応ができる柔軟性と、新しいコンテンツを生み出し続ける持久力を得た。これらが予測不能な自由を使いこなし、いつでもリセットして再起動できる理由になっている。自分を売りさえしなければ、強みとして歓迎できる特性である。

幸せになるまでが幸せ

世間のニーズに合わせてタレント、ブロガー、モデル、ユーチューバーと肩書きを変えて活動してきたてんちむは、格闘家の朝倉未来さんのようにユーチューバー以外の特殊スキルを持っているインフルエンサーをうらやんでいた。ユーチューブ以外の軸があれば、もっと自由気ままに活動でき、再生数が落ち込もうがバッシングされようが安定した精神状態を保ちやすくなる。

しかし、取引先代理店の澤田さんは「軸がないから支持される面もある」と語る。

「**世の中のほとんどの人が、明確な理想も確固たる軸も持っていない**ですよね。てんちむさんは人気ユーチューバーですけど、スーパースターじゃないし、特殊スキルを持ってるわけでもない。それでも自分のやりたいことや好きなことをまっとうして生きてるから、そういう生き方もできるんだって希望を見せてくれるじゃないですか。それが強みだと思います」

てんちむは**軸となる理想は持たないが、目標は掲げる**。「目標に出会えるとめちゃめちゃ人生が明るくなる」と目を輝かせた。

「ユーチューバーになってから『私はお金を稼ぐより、目標を叶えることに喜びを感じるんだ』って知りました。自分がやりたいことを世に出して、それが評価されたらうれしい。たぶん世間の推し活と同じ感覚だと思うんですけど、私の場合はてんちむを推したいんです。目標ってそんな簡単に出会えるものではないからこそ、出会えるとすっごくうれしいし、燃えます。私は数年に一度しか出会えないけど、目標がある期間は人生が豊かになりますね」

「てんちむを推したい」と断言するあたりが、いかにも天性のインフルエンサーだ。

てんちむは目標があるとそこに向けて全身全霊で走っていく。その分、到達した後の燃え尽きっぷりも激しい。ボディラインが際立つスパンコールをちりばめた衣装を着て走り回っていたと思えば、ジャージ姿でヘアターバンをつけ、すっぴんで寝転がって「働きたくない」とタバコの煙を吐き出していたりする。

燃え尽き症候群と本人は言うが、澤田さんは「**基本的に満足することがない人**」と分析する。

「てんちむさんは何かしらの目標に向かってがむしゃらに努力している状態が好きな人ですよね。達成すると『あとは何が足りないかな』と足りないもの探しをして、あれもやりたい、これもやりたいって次の目標を決めていくスタイルなので、際限なく上を目指していくタイプだと思います。熱量を持って狂気的に努力する目標があると、すごく生き生きしてます」

てんちむも「**幸せを追いかけているときが一番幸せ**」と語る。てんちむにとって安定は退屈であり、幸せの持続は不幸なのだ。

「**幸せになって満たされた瞬間に壊したくなって、一気に興味が失せちゃいます**。昔からずっとそう。憧れだった天才てれびくんの収録も『テレビの世界はどうなってるんだろう？あのキャラクターに会えるんだ！』とワクワクして現場に行ったら、グリーンバックのスタジオがあっただけでがっかりしました。1年間テレビに出たら、もうおなかいっぱいになっちゃって。ギャルモデルになったときも表紙になるまではめちゃくちゃ頑張れるんですけど、表紙を飾ったら満足しちゃいました。

私は手に入れると興味がなくなっちゃうから、目標に向かってる最中のほうが無我夢中で没頭できて幸せ。達成した後の安定した環境にずっといると、ぬるま湯みたいで退屈になっちゃうし、それが続くと幸せボケになる気がして怖いんです」

実は、この本の取材が始まったのもてんちむの安定期だった。特にトラブルもなく、幸せのぬるま湯に浸かっていたてんちむは鬱々としていた。そして、私に「今つらいんで、インタビューを始めたいです」と連絡した。

「**感情の起伏で人間は成長できる**と思うんですよね。つらいときほど思考が深まるから、幸せのぬるま湯に浸かっていたくないんです」

幸せをぬるま湯と解釈してしまうと、永遠に走り続けてより上を目指さなければならない。

安定した現状を「幸せ」と感じられない人生は茨の道だ。いつまでも満足することがなく、さらなる達成感や刺激を求め続ける。

てんちむは「穏やかな幸せよりも刺激的な快楽を求めている」とも言える。一度味わったものには興味を失ってしまうので、どんどん理想のハードルが上がって幸福度が下がる。ただ、現状に満足する人よりも成長はする。てんちむは幸福度を下げる代わりに、うなぎ登りの成長をした。その成長とは、主に影響力と財力、そして忍耐力の向上だ。**成功＝幸せではない。**

ただ、どうしても今が幸せだと思えないなら、ぬるま湯に浸からず感情の濁流に飲まれたほうが〝今〟から抜け出せる。感情の起伏は足かせのようで燃料にもなる。**感情が落ち込んで「ここから脱したい」と切望したとき、人は新しい一歩を踏み出せる。**

そう思えば絶望も無駄ではない。結局、何が幸せかは本人が決めることだ。

小さい目標は幸せの延命装置

てんちむは「よけいなことを考えずに集中できる物事が好き」と言う。

最近取り組んだのはＤＪイベントだ。よけいなことを考えずに集中できるものに出合い、機材から爆ぜる音に身を委ねて水を得た魚のように飛び跳ねていた。
それが仕事になってからは「ＤＪイベントを成功させる」という目標を立てた。

「どうせやるなら話題性を作りたくて、オリジナルのパフォーマンスを披露している海外のＤＪを見て本物の現金をばらまくパフォーマンスをしたんです。お客さんにお金を還元しながら『お金に囚われず楽しもう』ってメッセージを伝えたかったんですよね。売上をアピールするＤＪもあまり見たことがなかったから、キャバ嬢のＤＪ版みたいに写真を撮って、新しいＤＪスタイルで話題性を作りました。現金バラマキはアクシデントが起きちゃったんで、1回しかやってないですけど（笑）」

パフォーマンスの甲斐あって、２０２３年5～8月に開催したＤＪイベントでは3日で５５００万円もの売上を達成し、ステージにはシャンパンのボトルが何十本も並んだ。

「普通に仕事しているとマンネリしちゃうからこそ、自分自身で楽しいことを作っていきたくて。今までは楽しいことを

大荒れしてるDJてんちむイベントの件

体験して発信する側でしたけど、作る側も楽しいなって思いました。**作る側になると人任せにせず主体的に動けるんですよ**。ロケハンしたり曲を考えたりして、自分で作り込むのってやっぱり楽しい。ユーチューブって媒体を利用して『てんちむ最高』って思ってもらえるコンテンツを作って、自分も他人もワクワクする〝てんちむ〟を見せることが目標になりました」

それまでは「コンスタントに動画を投稿してお金を稼ぐこと」を目標にしていたが、自問自答して導き出された「やりたいこと」を目標にした。達成するまでの過程で幸せを感じられ、努力を努力とも感じずに行動できる。

「炎上したときの返金は努力だったけど、基本的には興味関心があることしか目標にしません。楽しいからやっているだけ。**やりたいことを目標にすると無意識の努力ができるんですよね**」

一番胸が高鳴るのは幸せになる手前、夢を追っている最中だ。夢と呼べるような「やりたいこと」を目標にすれば、前のめりに走っていける。

今が退屈なら、不快なら、逃げたいなら、「やりたい」と思えることを目標にすればいい。鬱屈した過去は変えられなくても、燦然たる未来を目指すことはできる。

光ある方向を指し示すコンパスは自分の中にある。「自分は何が好きなんだっけ、どういうことをしたいんだっけ」と問いかけ、矢印が指し示した方向に歩きだしたとき、行き場のない停滞はリセットできる。

私たちを幸せにするのは、結果ではなく行動だ。走って幸せを追いかけている限り、不幸には捕まらない。たとえたどり着かずとも、望む方向へ歩き続けていれば幸せだと言える。

第四章

否応なく注目される「自己プロデュース力」

主人公に無限転生

主人公になり続けた同世界転生術

てんちむは、天性の主人公だ。幼少期から目立つ存在で、**無意識に相手や場所に応じた最適な振る舞い方を選んでしまう**と言う。「このパターンはこうしたほうがいい」と直感で理解する能力が育った原点は生まれ育った家庭にある。

1993年11月19日、てんちむは母の故郷である中国・北京市で産声を上げ、甜歌と名付けられた。かわいい・美しいといった意味の「甜」に、歌が上手な子になってほしいと「歌」がついた。日本であれば「美歌」になるだろう。母の願いが込められた華やかな名前である。

中国では、かわいい赤ちゃんの写真を見て「こうなりますように」と祈ると、似た顔の子どもが生まれると言われている。てんちむ母は妊娠中、雑誌からかわいい子どもの写真を選び抜き「こうなれ、こうなれ」と祈っていた。それでてんちむが生まれたのだから、その念力には感服する。

2歳半で来日してからは、栃木県足利市で部品工場を営む父とスナックで働く母のもと、裕福な幼少期を過ごした。幼稚園時代のスケジュールは幼児教育、ピアノ、水泳、バレエと習い事でびっしりと埋まり、「テレビに出たい」と言って地元の劇団にも入った。芸能界が夢だった母親にとって、てんちむは叶わなかった夢の代走者になった。やがて東京の劇団を紹介され、毎週日曜日に車で2時間かけて通い、キッズタレントの道を歩み出す。

芸能界デビューを果たしたのは、東京に通い始めてすぐ、小学1年生のときだ。次々にCM出演が決まり、地元でも「CMに出ている子」と注目の的になる。そして小学4年生でNHKの「天才てれびくん」のオーディションに合格し、自分大好きな〝てんかりん〟としてたちまちスターになった。人気子役と同時に清純派アイドルとしても人気を博し、老若男女から愛された。

あまりにも順風満帆な滑り出しだったが、好奇心だけで飛び込んだ世界だったため、すでに欲求は満たされていた。さらにマネージャーから「やりたいことを1個やるためにはやりたくないことを10個やらないといけない」と聞かされ、仕事の楽しさより苦痛が勝り、芸能界への興味が薄れていった。

小学校5年生で水着姿の写真集を出すことになってから、不快感はますます強くなっていく。てんちむは〝大人の男の人〟が自分をどう見るかわかっていた。それを母にストレートに伝えられず「ママ、写真集は嫌」とだけ主張したが、受け入れられず発売に至る。サイン会には600名が集まったが、9割が〝おじさん〟であった。好評につきさらに過激になった2冊目の写真集を出したが、3冊目のオファーでついに「嫌だ！」と激しく拒否した。

下がる熱量に反して仕事は増え続ける。恵まれた展開ではあるが、仕事を求めていない本人にとってはやりたくないことをやらされる日々だ。てんちむは本来自由奔放な性格であり、子役に適した優等生タイプではなかった。

そして中学1年生の夏、父親が病死した。余命宣告はされていたが、母に「お父は治る」と聞かされていて、亡くなった日も授業が終わるまで死を伝えられなかった。そんな母に怒りをぶつけたが、父に死期が近づいていることはとうにわかっていた。

本当は、自分が崩れてしまいそうで、向き合うのが怖かった。母から「お見舞いに行こう」と言われても「忙しいから」と断っていた。一度だけお見舞いに行ったが、変わり果てた姿が目に入るなり涙があふれ、30分間トイレに籠ったまま出られず、ろくに目も見れないまま帰った。末期の自宅療養中も、間もなくいなくなるとわかっている父にどう接したらいいかわからなかった。死を受け入れられるように、自分の心を守るために、向き合わない選択をした。

おかげで、てんちむは崩れ落ちずに済んだ。お通夜の翌日には学校に行き、仕事も一切休まなかった。それが正解なのかどうかもわからなかった。

中学校で荒れていったてんちむは友達と夜遅くまで遊ぶようになり、芸能活動にますます身が入らなくなる。清純で天真爛漫な〝てんかりん〟も死んでしまった。

夜遊びにより学校も休みがちになり、日記に「全てがつらい」「芸能界に入ったのがまちがい」「もういいです。かんべんして下さい」と書くようになり、母に「芸能界を辞めたい。みんながやっていることを同じように楽しみたい」と訴えた。母は「友達と遊ぶより仕事が大事でしょ。夜遊びするような友達はあなたにとって重要じゃない」と悪気なくつっぱねたため、家庭不和は深刻化する。

中学校では、目立つてんちむをよく思わない先輩もいた。中学2年生で憧れと自己防衛から見た目を派手にして、〝てんかりん〟を破壊するように素行が悪くなり、夏には半ば投げ出す形で芸能界を辞めた。

晴れてみんなと同じ〝普通の中学生〟になろうとしたてんちむだが、辞めた直後に〝普通の中学生〟として書いていたブログもすぐさらされてしまう。ブログには不良らしい悪行が綴られており、〝てんかりん〟を応援していたファンを失望させた。

ブログを作り直してもさらされ続け「どうせさらされるなら普通の中学生にはなれない。だったらブログも仕事にしてやる」と中学生ブロガーになり月１００万円を稼ぐようになるが、心は病んでいく。中学３年生になってからは夜も眠れないほど不安定になり、学校にはたまに行くだけでほぼ引きこもっていた。

中学３年生でギャル化したてんちむを、周りの大人はよく思っていなかった。「ギャルモデルになってしまえばこの見た目も許されるのではないか」と考えたてんちむは、ギャル雑誌の読者モデルに応募してすぐに採用される。あくまで周囲に認められるための行為であって、本格的に芸能活動を再開するつもりはなかった。「普通の女の子でいたい」「ギャルである自分を認めさせたい」という２つの願望を叶える折衷案が読者モデルだった。

心境の変化が訪れたのはこの後だ。高校に入学すると同時に先輩から目をつけられ、わずか1か月半で自主退学したてんちむは、地元のヤンキー友達とつるんで朝までたむろしていた。地べたから立ち上がった瞬間、強烈な感覚に襲われた。


サァーと身体がどこか懐かしいような気持ち悪いようなゾワゾワする感覚の風に包み込まれて全身に鳥肌が立った。

友人達を見て、5年後も変わらずこんな風に過ごしてるのか、「今」はいつまで続くのか、嫌な過去を背負ってずっとこの町で生きるのか、世間で言う、普通に結婚して普通に家庭を持つのかと、将来への不安や現状の不満が一瞬にして溢れてきた。

今まで積み上げてきたものを全て切り離してまで求めた「普通の女の子」の生活。

それがよく分からない一瞬の感覚で、私は「普通に生きるのは嫌だ」と感じてしまった。

（『私、息してる？』P.209-210竹書房）


てんちむは、確かに普通の女の子になりたかった。だからあっけなくキャリアを捨てたのに、突如として普通の女の子でいることに嫌悪感を覚えてしまった。「どんなに強く思ったことも、数年後には変わってしまう」とショックを受けたてんちむは、年単位での目標設定はせず、未来の自分に決断を託すようになった。

本人は「そんな自分を信用していない」と言うが、物心ついたばかりの小学生で芸能界に入って仕事優先の生活をしていたら、ただ自由気ままに学校生活を送っている一般人の友達がうらやましくなるのも当然だし、芸能界で華やかな活躍をしてきた人が地元のヤンキーとつるんでいたら「このまま終わっていいのか」と疑問を抱くのも当然な気がする。「女優になりたい」「歌手になりたい」などの夢があれば右往左往せず芸能活動を続けられただろうが、てんちむにはそうした夢がなかったから、思春期になるにつれて揺らいだのも自然な流れだ。

そしててんちむは、何度目かの〝人生リセットボタン〟を押した。

携帯の番号も変え、母、親友2人、仕事関係者数人だけにしか新しい番号を教えず、家出がてら上京した。家なき子のまま歌舞伎町をプラプラし、出会った男性の家に転がり込んで2か月を過ごした。

夏には高田馬場のアパートで一人暮らしを始め、人気ブロガーの〝てんちむ〟として芸能界に復帰。読者モデルから専属モデルになり、本やプロデュース品を出してカリスマブロガーとして名を轟かせた。

　ところが19歳でギャルに飽きてしまい、ギャルを辞めてから仕事依頼が激減する。ブログ収益で金銭的余裕はあったが、焦っていたてんちむはほぼ全ての仕事依頼を受け「パンチラ程度の露出」と言われていた映画の主演オファーも承諾した。すると台本の内容がどんどん過激になり、パンチラはフルヌードになっていた。


てんちむは「仕事」と思えば全て受け入れてしまう。変わり果てた台本への違和感はあれど、撮影現場には大勢のキャストやクルーがひしめき合い、黒々としたカメラレンズが自分に向けられている。若干19歳のてんちむは無言の同調圧力に抗えず、嫌悪感による吐き気を催しながら撮影した映画はほぼＡＶ同然の仕上がりになった。

　公開前に「どうすれば映画が公開されずに済むか」を考え、銀座の宝石店で物を盗んで逮捕される道も検討したが、そんな度胸はなかった。正気を失っていたてんちむは睡眠薬を大量に飲み、首に巻き付けたベルトをドアノブにかけた。暗闇から目を覚ますと、ベルトは床に落ちていた。落胆と安堵、そしてあきらめがじわりと心を侵食した。

〝失敗〟したてんちむは、映画の公開記念イベントに笑顔で登壇する。いつも通りのハキハキした口調で「フルヌードなんですけど、ストーリーがすごいおもしろいんですよ。普通に楽しく観れるかなって思うので、ぜひいろんな人に観てほしいなって思ってます」と声を張った。「フルヌードに抵抗はあった？」という質問には「フルヌードってわかってても、いざ現場に入るとちょっと気分が落ち込むじゃないですけど、ああ見られてるなって感じで…」と目を伏せてから、また顔を上げて「羞恥プレイみたいな感じ！」と切り返し、どっと笑いが起きてシャッター音が連なった。

同じタイミングで出した写真集はアダルトコーナーに置かれた。てんちむは「虫唾が走った」と吐き捨てる。

気力を失ったてんちむは、19歳の終わりから22歳まで、これまでの貯金で購入した目黒のタワーマンションでうどん・タバコ・ゲームを中心としたニート生活を送った。どこにも出かけず、好きな時間に起きて、ゲームして、寝る。本人は「あの頃が一番幸せだったかも」と言う。

質素な生活でも少しずつお金は減る。母がまめに東京に来てはゲーム廃人のてんちむに「働け」と言い、ノイローゼになりそうだった。ギャル時代に３５００万円まで貯めた口座残高が３０００万円を切ったタイミングで「今あるお金だけじゃ死ぬまでは生きられない」と悟り、21歳で事務所を辞め、22歳で「稼げる」と聞いていたユーチューバーになった。「コンビニでバイトする」と言ったときは渋い顔をしていた母も、表舞台の仕事に目を輝かせた。

てんちむは**積み上げては壊し、積み上げては壊しのスクラップ・アンド・ビルド方式で今の地位までのし上がってきた**。「もうやめたい」と投げ打って破壊しても、他人や自分がまた表舞台へと引きずり上げる。失意しても失墜しても、子役、ブロガー、ギャルモデル、そしてユーチューバーと、同世界転生して主人公になる。

知名度がありながら同世界転生できる理由には、これまで紹介した逆境力・推される力・リセット力に加えて、多面性もある。てんちむはもともと空気を読んで場に合わせる能力が高い多面的な人間だった。中国人の母親と日本人の父親の間のもとに生まれ、異文化になじみきれない母親を見て学んできたのかもしれない。

主観的で過干渉な母を反面教師にしたてんちむは、とことん客観的で無関心な人格を形成した。好奇心は強いが、他人への興味が薄い。相手の価値観を否定せず、期待せず、受容する余地を作って衝突を避ける。もっと自由に生きたかったという気持ちが強いから、お互いの価値観を押し付け合いたくないのだろう。

この**客観的で無関心な人格**が、**場に応じた自分を作り出せる多面性を形成している。**芸能活動をしていた幼少期も、学校にいる自分とテレビに出ている自分は全くの別人だったが、どちらも演じていない素の自分だったと言う。場に合わせて見せる〟面〟が切り替わるのだ。

てんちむはこうしたあらゆる力を総動員して、現実世界で何度も転生し、主人公であり続けた。自由奔放な幼心を仕事現場に適応させるために培った要素も多く、皮肉な能力だと感じる。

最強の独自性は「憧れ×共感」

暴言厨な美女ゲーマー

主人公は絶対にキャラ被りしてはならない。脇役が主人公に似ていたら興ざめするように、主人公にしかない独自性が必要なのである。

独自性とはその人ならではの魅力だ。独自性があるから代役不可能な主役になり、スター性を発揮できる。

では、その独自性はどうやって作るのか。

あらゆるものがコンテンツ化された現代にブルーオーシャンなど存在せず、全てがレッドオーシャンだ。レッドオーシャンとレッドオーシャンを組み合わせることで、部分的ブルーオーシャンを生み出せる。多くのアイデアがそうであるように、**既存アイデアの組み合わせ**で新しい**独自性**が生まれる。

てんちむは時流を読む力もある。時代に合ったコンテンツを組み合わせて自分ならではの独自性を作り、ポジションを取り、先行者利益を得てきた。人気企画や新しいアイデアをてんちむっぽくアレンジすることで、ヒットコンテンツを生み出してきたのだ。

たとえば「女性の金持ちブランディング」もてんちむが先駆けだ。まだユーチューバーが庶民的なアイテムの爆買い企画をやっていた時代に、タワマンでのウーバーイーツ企画や、ハイブランド爆買い企画などの逆張りで新しいブームを作った。批判を恐れずに人がやらないことをやることで、注目を集めた。

ただ新しいだけではブームにはならない。こうした独自性を主人公レベルの魅力に引き上げたのは、憧れ×共感によるギャップ作りだ。**憧れと共感の掛け算によるギャップで、独自性のある主人公キャラを作り出した。**

「**憧れと共感の両方を持てたら最強なんです**。でも、憧れを求めるとブランディングを徹底してプライベートを隠すから共感が減っちゃうし、共感を求めると日常的なプライベートを出して親近感を上げる分だけ憧れが減っちゃうから、バランスが難しいんですよね。

だからユーチューブが本業じゃない仲里依紗さんや渡辺直美さん、朝倉未来くんってめちゃめちゃいいと思うんです。ユーチューブで親近感を出して共感を得つつも、本業で憧れも得られるじゃないですか。職業を2つ持つのはすごく強いんです。私はインフルエンサーでしかないから、職業以外で憧れと共感のギャップを作らないといけないんですよね」

ギャップ作りはユーチューブ初期から意識していた。ユーチューブ投稿を始めるにあたり、てんちむは自分のキャラ設定を「かわいいけど口が悪いゲーマー」にした。ゲーマーを選んだのは、廃人になるくらいゲームが好きだったから。「かわいいけど口が悪い」というキャラを選んだのは、ポジションが空いていたからだ。

「当初はお金を稼ぐのが目的だったから、求めていたのはポジションと登録者数だったんですよ。ポジションを取って地位を確立して、登録者数も増やして、稼ぐっていうプランです。それを最短で達成するにはどうすればいいんだろうと考えると、**大事なのはインパクトを与えて爪痕を残すこと**なんですよね。みんなと同じようにただ1人の女の子としてゲーム実況してても伸びないから、何か尖らせてギャップを作らないといけない。かわいい女の子もゲーム実況してたんで『かわいい女の子×何か』の掛け合わせでギャップを出そうと思いました。

それで閃いたのが、暴言厨。顔がかわいいのに口が悪い、それでいて男っぽいゲームをゴリゴリにプレイするっていうキャラクターがまだいなかったんで、そのポジションを取りに行ったんです」

「口が悪い」と「かわいい女の子」にはギャップがある。「かわいい女の子」という憧れの存在はそのままだと高嶺の花になってしまい、どこか距離がある。そこに「口が悪いゲーマー」という親近感を掛け合わせることで気軽にいじれる身近な存在になり、共感が生まれた。

希少価値が高くニーズも高いキャラクターにより、てんちむはユーチューブを始めてすぐに多くの男性ファンを獲得した。当時の視聴者層は8割が男性で、今と逆だった。

ただ、暴言を吐くため視聴者から叩かれることも多く、武器にしていた容姿に対する誹謗中傷が絶えなかった。当時は「かわいい」をアピールポイントにしていたため、てんちむの外見に魅力を感じるファンが大半を占め、動画の内容より容姿に対するコメントが多かった。「かわいい」が前提だとハードルが上がり、挨拶言葉のように「デブ」「ブス」といった言葉が書き込まれた。

人気が出るとアンチコメントは避けられないが、容姿の中傷はボディブローのように効く。

特に女性は自己評価に直結しやすく、動画を公開するたびにダメージが蓄積され、誹謗中傷に慣れているてんちむであっても心がすり減っていった。

ユーチューバーになるまで、てんちむは自分をかわいいと思っていた。それでも日常的に「ブス」「老けた？」とコメントされることで、「自分をかわいいと思うこと」が怖くなってしまった。自分に期待するほど、心無い言葉との落差にショックを受けて傷ついてしまう。

芸能界で生きてきたてんちむにとって、受け取り側の意見が全てだった。すっかり疲弊したてんちむは、ゲームを楽しめなくなりモチベーションを失った。

すっぴんスウェットでタワマンウーバーイーツ

ただ、そこで終わる女ではない。**「口が悪いけどかわいいゲーマー」というキャラを捨て、女性ファンを増やすブランディングに舵を切った。**女性向け動画と言えばメイク動画など美容系の企画が王道だが、反響はイマイチだったと言う。競合が多く独自性が出せなかったため、ポジションを取れなかったのだ。

女性ファンが一気に増えたのは、すっぴんスウェット姿でのウーバーイーツ企画だ。すっぴんでヘアターバンをつけたスウェット姿で、ウーバーイーツで買ったものを食べながらあれこれ語る動画である。この企画には、ゲーマー時代の反省も活かされている。**外見ではなく内面を売りにした**のだ。

「ウーバーイーツ企画ではてんちむの中身を見てもらうため、あえて本来隠したいマイナスの姿をさらすことで『かわいい』ってハードルをなくしました。すっぴんスウェット姿なら見た目にしか興味ない人は見ないから、外見の誹謗中傷を減らせます。すっぴんスウェット姿で自分のマインドや哲学を語ったり、視聴者からの質問に答えたりして、とにかく自分の中身を発信しました」

親近感が抜群に高いスウェット姿を選んだのは、自分を**ゆるキャラ**にしたかったたからだ。

「かわいい服を着て見栄えを良くするのも大事だけど、キラキラしたコンテンツってずっと見てると疲れるんですよ。ダラダラしたイメージがあるスウェット姿を見せることで、てんちむって本当はこんなダメなところもあるんですって伝えて、しんどい人も安心して見られるコンテンツにしたいと思ってました。**ゆるキャラの擬人化**みたいなイメージですね」

ゆるキャラが愛されるのは、いつどんな状態でも安心して見ていられて、癒されるから。キラキラ港区女子がステーキなら、すっぴんスウェット女子は味噌汁だろう。いくら摂取しても胃もたれせず、動画を通して視聴者の日常に浸潤するユーチューバーにぴったりだ。

3月もウーバーイーツ、1週間食生活

すっぴんスウェット姿でのウーバーイーツ動画は、動画を量産しやすいというメリットもあった。頻繁に動画を更新しなければならないユーチューバーにとって、撮りたいタイミングですぐ撮れる企画は会社員のリモートワークくらい時間効率を上げる。

ただ、だらしない系の共感には注意点がある。メリハリをつけないと〝ただのだらしない人〟になってしまうのだ。

「やっぱりギャップが必要なんですよね。ウーバーイーツ動画でひたすら家でダラダラしてるオフなてんちむを見せたら、次は仕事したりモデル業したりしてバリバリ働いているオンのてんちむを見せて、メリハリあるギャップを出すように意識していました。別に嘘をついたりはしないけど、そういう二面性は積極的に見せてます」

当時はまだ日本に上陸したばかりの新トレンドだったウーバーイーツをタワマンで食べるバリキャリ女性は、女性にとって憧れの存在だ。すっぴんでヘアターバンをつけ、スウェット姿でだらだらしている姿には共感しかない。憧れと共感の同居する人物像が若い女性を大いに引き付け、**視聴者の7割が女性になり、男女比率が逆転した。**

汚部屋にハイブランド

ハイブランド爆買い企画も、憧れに特化しているようで共感も両立させている。始めたきっかけは2つある。

「1つめは仕事のモチベーションを上げるため。『100万円分買ったから仕事がんばんなきゃ』ってなるように、伊勢丹で一気に爆買いしてました。2つめはポジション取り。ユーチューブでお金持ちブランディングしてる女の子がいなかったし、ハイブランド爆買いしてるユーチューバーもいなかったんで、ポジションを取りに行きました」

モチベーションアップのため頻繁にハイブランド品を買うてんちむは、**ユーチューバー初の伊勢丹の外商顧客だ。**外商とは、販売員が顧客の元に出向いて商品を販売するスペシャルサービスである。百貨店によるが、年間数百万の買い物をする顧客が対象だ。とある経営者男性は、てんちむが「ちょっとお店の外に伊勢丹の外商さんが来てるから、商品を受け取ってくる」と事も無げに出ていく姿を見てビビったと言う。

YouTube 初の伊勢丹の外商顧客になりました

それではどこに共感の余地があるのかと言うと、てんちむの汚部屋っぷりにある。てんちむはハイブランドの服も靴もバッグも、その辺の床やベッドにぽいぽい脱ぎ捨てる。ハイブランド品の紹介動画では整然とクローゼットに並べたバッグを紹介するのが常だが、てんちむのハイブランド品は床に打ち捨てられていたり、ベッドに投げ置いたまま寝ていたりする。寝る前に床に置くくらいはしそうなものだが、しない。

ハイブランド品を思うとかわいそうだが、視聴者からすると「マジか」とつっこみたくなる親近感があり「こんなにハイブランド品を買っている人も同じ人間なのだな」と無意識に実感させられる。

金持ちキャラは初期こそ一部の反感を買って叩かれもしたが、てんちむはその場での好感度を捨ててキャラ立てに振り切った。**無難な好感度がどれだけあっても主役にはなれない。主役になるには強烈なキャラクターが必要で、爪痕を残さなければならないのだ。**

事実、ハイブランド爆買い企画を続けるうちに「お金持ちの女性ユーチューバー」というキャラが定着。新しいポジションを確立したことで、アンチコメントが減って「憧れる」「かっこいい」といったコメントが増えた。

てんちむが「自分で稼いだお金でハイブランド品を爆買いしている自立した女性」であったこともポイントだ。自分で稼いでいるから、どれだけハイブランド品に囲まれていても嫌味がない。働く女性からの憧れが強かった。

「**ハイブランド品をよく見せる分、しっかり仕事している姿も見せる**ようにしていました。誰かに買ってもらってるって思われるのも嫌だったし。1個1個『これはいくらで』って言うのは露骨で自慢っぽいから、サムネイル画像に入れてインパクトを出す必要がある爆買いの総額しか公開しません」

ハイブランドというコンテンツはしっかり見せつつ、反感を買いやすいポイントは避けてリスクヘッジしている。

ハイブランドで憧れが募るほどすっぴんスウェット姿とのギャップも生まれ、親近感も高まる。相反するはずの憧れと共感を両立し、二兎を追って二兎を得た。

全てをさらけ出すダークヒーロー

方向転換を繰り返すてんちむの唯一変わらないところが、**自分をさらけ出す素直さ**だ。このさらけ出す力が、てんちむを共感できるキャラクターにしつつ、目が離せないインフルエンサーたらしめている。

普通は暴言もすっぴんも汚部屋もさらけ出したくはないだろう。女性インフルエンサーはすっぴんもさらす時代になってきたが、あのレベルの汚部屋をさらしているトップインフルエンサーは見たことがない。すでに知名度があり、多くの人に見られるとわかっているのにさらけ出す。

さらけ出す力は、日々ほぼ全ての行動と感情をネタにしていたブロガー時代に鍛えられた。ユーチューバーになり、さらけ出す情報はさらに多くなった。ブログと動画じゃ情報量が違う。特に性については類を見ないほど赤裸々で、セフレの存在や自慰行為についてもガンガン話し、愛用の電マは幾度となくルームツアーに登場するおなじみのアイテムになっている。アシスタントのしんちゃんも、てんちむのさらけ出す力はすごいと語る。

セ◯レを好きになって玉砕した

「盛れていない私生活も出すインフルエンサーの筆頭だったと思います。飾らない人はいても、性事情も含めてあそこまでさらす人は見たことない。今ではそういう人も増えてきたけど、みんなもやってる状況でやるのと、誰もいない状況でやるのとじゃ怖さが段違いじゃないですか。しかも芸能活動でデジタルタトゥーの怖さは痛感しているはずなのに、それをやり続けるのは呆れるレベルですごいです」

理想や信念のないてんちむは、〝いい人〟を目指さない。「いい人に見られてもいいことはない」というのが、見ず知らずの他人にあれこれ言われるインフルエンサーの通念だ。

てんちむをよく知る経営者の桑田さんは「**てんちむはあえて馬鹿に見せている**」と語る。

「本当はめちゃくちゃ賢いんですけど、共感されるキャラを守りたいのと、プレッシャーをかけられたくないって理由から馬鹿に見せているんじゃないかな。

『そんなに私、正しい人間じゃないし』って気持ちもあると思いますよ。なのにもてはやされても気持ち悪いし、何かあったら袋叩きにされて炎上リスクが上がるから、聖人でない限りちょっと性格悪いくらいに見せたほうがお得なんですよね」

てんちむも「**上がり続ける好感度は苦しくて怖い**」とうつむく。

「実は、トリプルワークして好感度がぐんぐん上がっているときより、炎上直後に復帰した瞬間のほうが楽しかったんですよ。バッシングの嵐で何も気にしなくていいから『世間をひっくり返してやる』って支配欲だけが昂って、無我夢中で突っ走れたんです。

トリプルワークを始めてからは応援してくれる人もたくさんいたから、現状維持しなきゃってプレッシャーがあって、守りに入っちゃって。また何か暴露されて人の期待を裏切っちゃったらどうしようって不安もあるし、好感度を気にして一挙一動に怯えている自分が気持ち悪くて、葛藤してました」

無事返金を終えたことでその葛藤に終止符を打ち、**てんちむは無敵の人になった**。「私はもはや悪役だから」と自嘲する。

「悪役も一定層から人気があります。悪いヤツだけど、行動の中にその人の感情とか人間味とか過去があって、どこかしら応援したいって思ってもらえるキャラクターというか。私って普通の行動をしないから、人生がリアリティーショーみたいな感じじゃないですか。ブッ飛んでるけどみんなが追いたくなる存在になれればいいかなって思ってます」

認知度を求めるインフルエンサーは、誰に何を言われても無視できるキャラクターにならざるを得ない。

「認知度が上がると、何をしても否定の声はあります。全てに釈明していたらキリがないし、いちいち反応している自分がすごく小さく見える。**炎上対応で良くも悪くも頭一つ抜けた存在になってからはさらに、他人の声を無視して発信できるようになりました**」

死に物狂いで炎上を切り抜けたてんちむだが、今でも「次は何で炎上するんだろうね」と言われるらしい。炎上キャラはマイナスイメージではあるが、期待されていないので逆に炎上しにくくなった。

「影響力が強くて失うものがない人間って最強だと思うんですよ。守るものがあるから強いタイプと、失うものがないから強いタイプっていると思うんですけど、私は完全に後者。仕事が最優先だったからなんでもさらけ出せたし、別に恥ずかしくもない。たまに心は荒みますけどね」

理想を持たず、好感度を求めず、嫌われ者なりの成果を出すという方針のもと、どれだけ有名になっても清濁併さった私生活をさらけ出せる〝無敵の人〟になった。

追っかけたくなるワクワク感

多面的に独自性を生み出し続け、脱皮するようにキャラの新陳代謝を繰り返すてんちむは、昔から身軽である。大抵の人は何かやりたいと思っても実行するまでに時間がかかるし、妄想のまま終わることが多いのに対して、てんちむはほぼ反射的に行動する。

いざ始めるときのテンションは「結果がついてきたらラッキー。とりあえず楽しもう」という軽いもの。

「やりたいのにできないってストレスを溜めたくないから、まずは始めることが大事で、よけいなことは考えません。**継続するには他人からの評価に依存しないのがコツ。**評価を求めちゃうと、それがついてこなかったときに心が折れちゃうんで、**どう思われてもいいや、結果がついてきたらラッキー**って思って始めてます」

ただ、仕事として始める場合は責任を伴うため、無責任に中断しないよう続ける工夫も求められる。

「新しい仕事として始めるなら、２週間は考えますね。何を見せたいか、何を得られるか、どれくらい大変か、そこまでしてやりたいことなのかを自問自答して、メリットとデメリットを天秤にかけます」

メリットとデメリットを連ねることで、少なくとも損しない選択ができる。合理的なてんちむらしい進め方だ。

他者評価に依存せず継続できるよう、てんちむは**ランキングから逃亡**した。ギャルブロガーだった頃、アメブロのランキングに追われる毎日が苦痛だった。当時はブログ戦国時代で、1日に何回も更新しないとランキングが落ちてしまう。「人と競い合うのは苦手だ」と気付き、ユーチューブでもランキングは気にせず活動している。

数字を気にしていないわけではない。再生数が稼ぎになり、フォロワー数が影響力に直結する以上、インフルエンサーが生業のてんちむは数字から逃げられない。てんちむのようなトップユーチューバーは、メインチャンネルとサブチャンネルに分けてうまく役割分担している人が多い。

「メインチャンネルは再生数を気にしています。仕事関係の人もメインチャンネルの反響を見るので、そこはちゃんと成果出さなきゃなって。サブチャンネルを見るのは私のファンがほとんどなので、あまり再生数は気にせず発信したいことを自由に発信して、息抜きがてら更新してます」

数字は囚われすぎると毒になる。

軌道に乗るまでは数字を追うが、ある程度成果が出て余裕ができたら、世間のニーズより自分のやりたいことを軸に活動したほうが継続率が上がる。これもまた効率のいいやり方なのだろう。

70点でいいから継続する

てんちむの軽やかな一歩を押しだす要因のひとつに、適当さもある。アシスタントのしんちゃんは「甜歌は考えすぎないしこだわらない」と言う。

「考えすぎちゃって行動できないとか、考えすぎちゃって病むとか、そういうことはほとんどないです。普通の人が『これ、いけるかな？ちょっと考えよう』ってなるところを『いけるかな？いけるっぽいからやっちゃおう』ってジャンプするんです。**考えすぎないから行動力があって、沈んでもまた上がってくる。**停滞期がないんですよね。うまくいかなかったらやめればいいやってリセットできるから、悩みすぎずに始められるんだと思います。

そんなにこだわらないのも初動が早い理由ですよね。女性インフルエンサーはばっちり照明つけてカメラアングルとかメイクとか気にするのが普通だと思うんですけど、甜歌は『ブスじゃなきゃいいよ』って感じで、台本もないまま、その辺に置いたスマホの録画ボタンを押せちゃうんです」

取引先代理店の澤田さんも「てんちむさんは日常を効率よく切り取るタイプ」と頷く。

「男性インフルエンサーは経営とかほかのビジネスをやっている人も多いんで、めちゃくちゃコテコテに企画の構成を考えて、挨拶言葉から締め言葉まで書いた台本を作ってから、1時間で5本撮りとかする人が多い印象です。撮影に使える時間が限られてるから、時間効率をどんどん上げていくんですね。

でもてんちむさんは日常をさらけ出すスタイルだから、日常的に動画を撮っています。だからこうして喋っているときに『へ〜そうなんだ。……はい、てんちむでーす。今日は澤田といいます』っていきなり撮影始めたりするんで、撮影って言うより日常ですね（笑）」

撮影時間を取るわけでもなく日常をそのまま切り出すのは、もはや究極の効率化と言えるのかもしれない。

もちろん、やみくもにそのスタイルを選んでいるわけではない。てんちむは1週間に1回

１００点を取るよりも、毎日70点を取ることを重視している。ユーチューブチャンネルを立ち上げた澤田さんに、てんちむはこうアドバイスした。

「継続することが一番大事だから、とにかく続けるための工夫をしな。苦になることはしないほうがいいよ。私はコテコテに決め切った動画はやらされ仕事みたいに感じてこなすようになるから、あんまり決め打ちしない。**気楽に続けられる好きなことのほうが、結果的に自分の良さが出る**んだよね。だから気楽さ重視」

70点主義は、持続力に加えてスピードも上げる。チャンスの神様は前髪しかないと言うが、インフルエンサーのように時代の流れを着実に捉えて先取りする人であればなおさら「ここだ」と思ったらすぐに行動してチャンスを掴まなければならない。「70点でいいからやる」という考えが、咄嗟の判断や行動を底上げする。

夢を共有して未来予想図を描かせる

とはいえ、70点ばかりで主人公になれるほど甘い世界ではない。メリハリをつけ、ここぞというときはでっかい花火を打ち上げるのが主人公なのだ。

てんちむはこれまでの実績に伴った豊富な人脈により、次々にやりたいことを叶えて話題性十分の大型企画を実現する。トリプルワークやＤＪイベントも「やりたい」と言って周りを巻き込めたから成し遂げられた。

自身もユーチューブで活動する桑田さんは、人脈の重要性を実感している。

「**強い企画やコンテンツを作り続けるには、絶対に人脈も必要**なんです。てんちむは今までいろんな場所で仕事を全うして信頼関係を作ってきたし、『私はこれをやりたい』って宣言したり相談したりするから、自然と遊び心がある人たちが周りに集まってきて『これやったらいいいんじゃない？』って提案されることが多いんですよ。それこそ炎上をきっかけに、その仕組みはかなり強化されたと思います。本来は個人で動いているのに、人を引きつけて１つ１つの企画がチーム戦になっているんです」

返金しかり、でっかい目標を掲げた以上は絶対にやり切る有言実行の人である。そして、全力でやり切るさまを見せるのが天才的にうまい。相手の中に自分を植え付けるコミュニケーションに長けていて、人を惹きつけるのだ。「炎上↓転落ドキュメンタリー↓トリプルワーク」の流れを振り返るとわかりやすい。

桑田さんは「**てんちむは絵を描かせてワクワクさせてくる**」と言う。

「『りゅーぴー（桑田さんのあだ名）さ、私こうしようって思ってんだけど、どう？どう？こうなったらおもしろくね？』って言ってくるんです。なまじ言語化能力が高いんで、そうなってるてんちむのイメージを頭で浮かべちゃって、それを見たくなるんですよ。

僕はてんちむのトリプルワーク中に『クラブＮａｎａｅ』の常連客になったんですけど、それも復活した後にどうなるのか、どんなふうに働いているのかを見たくなったから。自分の言葉や行動で**相手に『てんちむってどうなるのかな？』って絵を思い描かせて、引き込む**んですよね」

29歳での有言実行はＤＪだった。没頭できるものを探してＤＪにハマり、趣味としてインスタグラムのストーリーでＤＪ動画を発信しているうちにブッキングの依頼が届くようになった。「スキルがないのにＤＪイベントに出て、ほかのＤＪに迷惑をかけるのは嫌だ」と責任感によるプレッシャーから逃れたかったてんちむは「自分一人で会場を貸し切る」という特大プレッシャーを背負う選択した。てんちむの場合は「誰かに迷惑をかけるリスク」が一番プレッシャーになるので、貸し切りのほうが気楽だった。

大規模な単独イベントに向けて、てんちむはＤＪの練習風景を頻繁にインスタグラムのストーリーやユーチューブで見せ、宣材写真の撮影風景も動画にし、イベントに向けて奮闘する姿を発信し続けた。ポイントは自虐的に発信していたことだ。

「知り合いのバーで回していたらお客さんが全員帰ったとか、バーに人が全然来なかったとか、かわいそうな人って立ち位置で発信していました。そのほうが初心者でもおもしろがって来てくれるかなって思ったんです」

その甲斐あって大きな会場もパンパンになり、３回のイベントで５５００万円の売上を叩き出している。ＶＩＰ席で大金を使った桑田さんは、楽しげに笑う。

「自虐ストーリーを上げてずっと練習してる姿を見てると、どんなもんか見てみたくなるし、応援したくなるんですよね。『イベントやるよ！』って言われて『おー行く行く』って二つ返事しました。

行ってみたらでっかい会場をパンパンにしてめちゃくちゃ盛り上げてて、ファンが『全力投球したてんちむってやっぱりかっこいいな』って思える光景が広がっていて。過程から本番までの見せ方がうまくて、女性は『夢中になってるてんちむを見てると幸せ』ってなるし、男性は『無邪気で愛せる』ってなる。だからあれだけ推されるんですよ」

自虐した過程で親近感による共感を高め、華やかな本番で完成度による憧れを高める。どの行動においても、呼吸するように自己プロデュースし、自分の魅力を最大化している。

新しいことを宣言してはやり切るてんちむには、信頼が蓄積される。「次は一体何をするんだろう」「何か大きなことを成し遂げそう」とワクワクが募り、人の興味関心を集める。桑田さんもその一人だ。

「てんちむを見てると『**コイツ、おもろいから追い続けたいな**』って思うんです。大体の人はどっかでやめちゃうんで、ずっと追っかけさせてくれる人ってあんまりいないんですよ。てんちむはふだんはダラダラしてるけど、やるときはめっちゃ振り切るじゃないですか。ずっと活動し続けてるっていうのも信頼できるとこですよね。ユーチューブは人生を投影したコンテンツを作る人たちが生き残る世界なんで、てんちむみたいに個人の力を発揮できる人間が注目され続けると思います」

ただ、てんちむの人生には大きな浮き沈みがあり、主人公でない狭間の期間もある。

桑田さんがてんちむに出会ったとき、てんちむは18歳だった。ギャルタレントになったものの、仕事が芳しくなく「まだ子どもみたいで、変な男が寄ってきそうな雰囲気だった」と言う。実は『バーレスク東京』のスタッフ・Ｍａｎさんも18歳のてんちむに会っていて「バーレスクで踊っていたてんちむとは別人」と笑う。

「当時はツンケンした感じの悪いギャルでしたけど、バーレスク東京で約10年ぶりに再会したら、全然違う人だった。**やっぱね、人って人生がキラキラしてくると中身も変わるんだなと思いますよ。**大炎上でアップデートできたっていうのもあるでしょうね」

桑田さんは「目指しているものが〝楽な人生〟から〝楽しい人生〟に変わったんだと思います」と頷く。

「経営者界隈でもあるあるなんですけど、これからの人生で楽したいからって必死に仕事して楽できるようになっても、途中で『楽は飽きる』って気付いて『〝**楽**〟**より**〝**楽しい**〟**を目指したい**』って思うんですよ。それでまたがんばり出すのがお決まりのパターンです。

てんちむも基本はサボりたがる人間ですけど、何かをがんばって達成してから次の目標を見つけて動き出すまでのスパンが短くなった気がします。それって楽する期間が減ってるってことだから、昔より今のほうが活動的で、華がある。**人生を『楽する』から『楽しむ』にシフトするとキラキラして、人もお金も寄ってくる人間になるんですよね。**起業家にしてもインフルエンサーにしても、楽だけしてる人って消えていきます」

炎上前までてんちむの活動方針は「嫌なことをしない」だったが、炎上を経て「楽しいことをする」に変わっていった。「嫌なことはせず楽したい」と言っていた頃も主人公だったが、今のほうがより強い主人公になっている。

たとえ主人公から転げ落ちてしまっても、また「楽しいこと」を見つけて、主人公になればいい。楽しいことの数だけ主人公になれるチャンスがあると、クラブで大旗を振るてんちむが示している。

仕事相手を虜にするコミュ力

寄り添い型のＰＲプロフェッショナル

てんちむを主役にしているのは、数多くの企業もである。てんちむの評判はすこぶるよく、とんでもない数の企業と取引している。私も知り合いが「てんちむさんの仕事はめちゃくちゃ早い」と絶賛するのを聞いたし、同じことを人に伝えている。本当に仕事が早く、決断スピードが早いのだ。

ユーチューブでのＰＲ案件もかなり多い。取引先代理店の澤田さんは「てんちむさんは企業からの人気が高いインフルエンサー」と太鼓判を押す。特に好評なのが、**クライアント目線の柔軟な対応力**である。

「てんちむさんはクライアントに寄り添いつつ能動的に動いてくれる、かなり希少な動画クリエイターです。広告業界はイレギュラーな変更が多いんですが、それを伝えても怒ったり断ったりせず『わかりました、じゃあこうします？』って主体的かつ柔軟に対応してくれるんです。

たとえばスケジュールが前倒しになったら、普通のクリエイターは『今更言われても無理です』って突っぱねるところを、てんちむさんは『じゃあこういう形にするのはどうですか？』って寄り添って提案してくれるんですよ」

会社員であればイレギュラーな調整業務は日常茶飯事だが、自分の名前を看板にしているインフルエンサーやクリエイターはこだわりが強く、個性が強い分ビジネスリテラシーに欠ける傾向がある。

通常は事務所やマネージャーが企業とのやり取りを担当してフォローするが、10代から個人で活動してきたてんちむは、やり取りから納品まで一人で対応してきた。たくさん痛い目も見ながらここまで上り詰めたのである。

幼少期からの芸能界活動も含めれば、一般人よりもはるかに豊富なビジネス経験を詰んでいる。パターン別の最適な対応方法が染みついていて、瞬時に要件を理解し、企業との利害関係を踏まえて合理的に判断する胆力が培われている。社会人経験が少ないクリエイターと比較したら、熟練度は段違いだ。

「てんちむさんはクリエイターでありながら、ビジネスパーソンでもあるんです。企業側の要望に応えるのが難しい場合も『それってどういう理由でやりたいんでしたっけ』って意向を理解してから『こういうやり方ならできますか？』と前向きなコミュニケーションをしてくれるので、めちゃくちゃ仕事しやすいです」

そう頷く澤田さんは「当たり前のことを当たり前にできるクリエイターは多くないので」と苦笑する。クライアントからの要望がまとめられたオリエンシートの内容を反映し損ねるユーチューバーも珍しくないが、相手の意図を理解する能力に長けていて、並外れた場数を踏んできたてんちむはしっかり反映する。

この本もそうだ。大変言いにくいが、ライターが代筆する本の場合、チェックが甘くなったり丸投げしたりする著者もいる。読者のニーズより自分のエゴに走る著者もいる。しかし、てんちむは冒頭から読み直して直したい文章をその場で私に伝え、一言一句にこだわって修正を重ねた。読者に何を伝えれば響くかを常に模索し、入れるべき情報を吟味した。

原稿修正の会議時間はゆうに30時間を超える。しかも1日6時間ぶっ続けで、席を外すのはトイレ休憩のみ、ほぼ飲まず食わずである。普通にしゃべるだけならまだしも、思考を深めながら13万字超の文章の推敲をするのだ。本人は「私は過集中なんで」とどこ吹く風だったが、本当にすさまじい集中力だった。私は自分が書いた文字列の海に溺れ、目がチカチカして朦朧としたし、腹はぐうぐうと鳴った。

放っておくと10時間でも続けそうだったので「今日はこれくらいにしましょうか」とこちらが先に音を上げた。私はすぐにベッドにもぐってしまったが、朝起きてインスタグラムを見るとてんちむは打ち合わせ後も元気にストーリーを投稿しており「この人なら数時間睡眠でトリプルワークできるわ」と身をもって納得させられた。

サービス精神旺盛で相手優先のコミュニケーションを心がけているてんちむは、クライアントが何をすれば喜ぶのか肌で察知できる。半分無意識に、ときに過集中で相手のニーズを満たしたコンテンツを作れる。視聴者のニーズも察知して制作するため、反響もいい。

クライアントとして仕事を依頼した経験がある溝口さんは「企画意図をこちらが伝えるまでもなく理解していて、かゆいところに手が届くような上手な紹介をします。受け取る報酬以上の成果を与えようとする情熱があって、それが彼女にとっての当たり前なので、クライアントの満足度が高いです。あれはプロフェッショナルですね」と賞賛する。

若くして人気になったインフルエンサーはよく天狗になるが、炎上も何回か経験したてんちむは地に足がついている。アクシデントがあっても対立関係にならず、仲間意識を持ってプロジェクトに取り組む。クライアントからしたら、てんちむのようにビジネスパーソン目線で寄り添ってくれるインフルエンサーは希少価値が高く、ありがたい存在だ。「またてんちむに依頼したい」「何かあったらサポートしたい」という気持ちが育まれる。私もいつかまた、てんちむの本に携わりたいと思っている。

裏方がファンになる神対応

忖度しないのもてんちむの強みであり美点だ。いい意味で媚を売らない。澤田さんは前のめりになって言う。

「無名だろうが裏方だろうが関係なく、平等に向き合えるのがてんちむさんのすごいところ

お世話になった銀座のクラブに客として行ってみた

バーレスクの過去最高の太客になってみた

です。僕に限らず、裏方スタッフはみんなてんちむさんが好きですよ。代理店の担当者だろうと、メイクさんであろうと、カメラマンさんであろうと、誰に対しても気さくに話すんです。

あれだけ有名になると裏方まで気が回らないのが普通なんですが、常に向き合って多くの成果を与えようとしてくれるから、企業側も『てんちむさんを応援したい』って気持ちになるんですよね」

これは『バーレスク東京』のＭａｎさんも熱っぽく「あれはモテる」と断言した特徴であり、男女問わずモテる人間力だ。

『バーレスク東京』を卒業する日、てんちむは「これダンサーのみんなにあげてください！」とドレス１００着と山ほどの化粧品を差し入れている。トリプルワークを終えた後も、お礼参りと称して『クラブＮａｎａｅ』では３３０万円の特大ワインをおろし、『バーレスク東京』ではダンサー全員に総額２１０万円のチップを渡した。

てんちむに理由を聞くと「だって全部つながってません？」と涼しい顔で言った。

「一番偉い人や有名な人にしか気を遣わない人が多くて違和感を持ったことがあるんですよ。評判ってまわりにいる人たち全員の印象で決まるじゃないですか。

それに逆の立場になったときに、自分だけにいい顔をして周りの人に雑な対応をする人を見ると嫌な気分になるので、肩書や表面だけで人を判断して媚びることはしません」

現場を動かしているのはトップの人間ではなく、その下にいるメンバーだ。そういった人々にも真摯に向き合えるてんちむは、現場から全体を巻き込んでいく力がある。やがて現場にいたメンバーが裁量を持つこともあるだろう。てんちむの元で仕事が循環し、そのたびに仲間意識が深まっていく。

ライターとして取材をした私も、あけすけな口ぶりで本音を吐露するてんちむに雷で撃たれるような好感を持った。

深夜に突然「語りてー！今から取材、いけますか？」とＬＩＮＥメッセージが届き、明け方までオンライン通話をした。あれだけの登録者数を誇るインフルエンサーでありながら、まるで地元の友人のように喜怒哀楽の感情を露わにする。てんちむの人間らしさが朝日とともに差し込んでくる。本音のマシンガントークを浴びているうちに、思わず顔がほころんで心を開き切ってしまった。

こうして多くの取引先を地元友達のような感覚で虜にしてきたのだろう。

女の夢を叶える女

さて、主人公にはファンが必要だ。ファンのいない主人公なんて、漫画だったら即打ち切りである。２章でいかにてんちむが女性に推されているか解説したが、なぜそれだけ女性ファンが多いのかと言うと、**現代女性の代弁者であり、代走者だからだ。**

てんちむは女性が悶々としていることを言語化し、やりたいけどやれないことを実現する力がある。そんなことができてしまうのは、女性性と男性性の両方を持ち合わせているからに他ならない。

貢がれるパパ活女子から稼ぐインフルエンサーへ

世の中の女性が聞かれて困る質問ランキング1位は、おそらく「趣味は？」だ。初対面でよく聞かれる質問トップ3に入るメジャーな質問だが、多くの女性は答えに窮する。好きなことはあれど、男性ほど「これだ！」と没頭する女性は少ない。広く浅く、マルチタスクをこなす女性が多数派なのである。

てんちむも「常に没頭できる何かが欲しい」と言う。大体の女性は「欲しいなあ」と思うくらいで終わるが、てんちむは超人的な行動力と財力を持って雄々しく探し続け、実行する。その結果がクラブ貸し切りのＤＪイベントであったりする。

「何かに没頭していないと死んだように生きてる気がするんです。だから、漫画でもゲームでも映画でもいいから、何か没頭できるものが欲しい。仕事に没頭することも多いです」

てんちむが何かに没頭すると、良くも悪くもすぐ仕事につながる。皮肉にも、これが没頭を短命にする。

ＤＪも最初はただの趣味だったが、ＳＮＳで発信するなりブッキングが相次いだ。

「なんでもすぐに実現すると感動がなくなるし、サクサク進むスピード感が当たり前になっちゃうから、当初の熱量がなくなる気がします。すごく恵まれているし、やりたいことを叶えてくれる周りの人たちに感謝しているけど、悪いことだとも思うんですよね」

仕事となると最高のパフォーマンスをしようとするため、自身の感情を殺すことも多い。てんちむは「客観で主観を殺します。**振り切ると人間じゃなくなる**」と物騒な言葉を漏らした。

「閃くアイデアの倫理観が崩壊していて、自分を怖いと感じることもあるんです。たとえば『優秀な遺伝子を持つ人の精子提供を受けて、選択的シングルマザーになって、生活のパートナーと恋人はそれぞれ別で作るって良くない？』ってズレてる価値観を平気で公言できる。実際に言ったらめっちゃバッシングされたんですけどね」

自分の意志でシングルマザーを選んだり、婚姻制度に囚われないパートナーシップを結んだり出産したりするのは、一般的な恋愛・結婚スタイルを重んじている人からは賛同されにくいが、自立していて自由奔放なてんちむらしい考えでもある。

ただ、てんちむはパートナーがいたとしてもこの考えを公言できてしまうので、そこは確かに倫理観が崩壊しているかもしれない。

一方で、横並びの価値観を崩すてんちむ独自の考えは、協調性に縛られがちな女性の救いにもなり、唯一無二の自己プロデュースにつながっている。

あらゆる立場の人を否定しないスタンスも、女性の代走者になっている理由だ。

今や自立した女性インフルエンサーの代表格とも言えるてんちむは「ユーチューバーにならなかったら、**港区女子になっていたと思う**」とあっさり口にして、本の構成を考えていた私を凍りつかせた。自分を見世物にしてでも自力でドン底から這い上がってきた女性像を描こうと思っていたのに、文脈が破綻してしまうではないか。

「**20歳の頃は港区女子で、愛人やってました。**今はギャラ飲みがありますけど、当時はタクシー代をもらうタク飲みみたいなのがあって、そこで出会ったすっごい年上のおじさんに面倒見てもらってたんですよ。美味しいごはんも食べれるし、お金ももらえるし、海外旅行も連れてってもらえるしで、いい生活を送ってました。

今の私は自立してるイメージがありますけど、その頃はまったく自立していなくて、自分でブランド品を買ったこともなかった。『自分で買うのは馬鹿らしい、買ってもらったほうが得』って思ってたんで、自立しなくてもいいやって考えてたんですよね」

つまりパパ活女子だったわけだ。そのおじさんを好きではなかったので寝たくなかったが「寝たくないなら自分で稼げばいい。楽してお金を得たいなら寝ればいい」と割り切り、あまり抵抗なく寝た。「お金のために寝れた」という実績を作ってしまったことは、その後の貞操観念に響いたと言う。風俗でなくてもお金で自分の体を売ったわけだから、自分を大切にしているとは言い難い。

お金の代償は体と時間で、てんちむにとっては時間のほうが負担になった。自分の時間の喪失は不自由とイコールだったからだ。
おじさんに「養子縁組を組んだら一生面倒見れるよ」と言われたてんちむは、お金と引き換えに得たはずの自由が不自由に変わっていくのを感じた。

「面倒見てもらってるから、そのおじさんとすごい頻度で会わなくちゃいけなかったんですよ。誕生日プレゼントにＢＭＷの新しい車をもらう約束をしていたんですけど、そのときの私はゲーム友達とモンハンしたくて『本当はずっとゲームしていたいのに、なんでこんなに縛られてるの？』『なんで車に興味ないのに、ＢＭＷのためにモンハンを我慢しなきゃいけないの？』ってものすごく疑問を感じて『お金なんていらないから自分のペースで生きたい』と思ったんです。

あと２か月我慢すれば誕生日にＢＭＷを手に入れられたのに、友達とモンハンする時間を選んで別れちゃいました。どんな高級品やうらやましがられる贅沢よりも、自分の楽しいことややりたいことのほうが大事ですよね」

このパパ活経験により、てんちむは「貢がれるより稼ぐほうが自由」と学んだ。
ホストクラブオーナーで多くのパパ活女子も目にしてきている桑田さんは、パパ活を続ける女性と続けない女性の違いは「短期的に楽をしたいか、長期的に楽をしたいか」だと言う。これは水商売全般にも通じる話だ。

「誰かに縛られてるって、本来はかなりのストレスでありリスクなんですよ。太客を愛人にして大金を使ってもらってるホストも同じで、その人だけに依存してたら相手がいなくなったときのリスクがやばいじゃないですか。普通はほかのお客さんを増やしていくんですけど、紐体質だとそこまで頭が回らなくて、リスクを理解しないまま短期的に楽することを選んじゃう。**長期的にはちゃんと努力して成長したほうが絶対楽**なんで、長期的な目線を持てるかどうかです」

ただ、てんちむはパパ活を否定しない。「あれはあれで最高だったし、楽しい人生ではあった」と言われて拍子抜けした。

「今でもパパ活やってる港区女子の友達もいますけど、予約困難店に行ったりブランド品をもらったり、相手の会社に秘書として入社してボーナスをたくさんもらったり、おいしいなって思います。もらったお金で美容やファッションに投資してどんどんかわいくなっていくから、正直うらやましいとも思いますよ」

自分で稼げる自立した女でありながら、パパ活女子も否定しない。てんちむが昼職女性にも夜職女性にも人気なのは、こうしたスタンスも影響しているのだろうと思う。

本を書く身としては「パパ活は楽だったかもしれないけど、自分の体や時間を差し出すよりも自分で稼いだほうが気持ちがいいし、自立して生きられます」くらい言ってくれたほうが美しくまとめられてありがたいのだが、「あれはあれで最高」なんて言われてしまって閉口した。てんちむにとって自立は理想ではないらしい。

ただ、自分が捨てた選択肢すら認められるのは魅力にもなる。漫画でも、**求心力がある主人公はあらゆるキャラクターを受容する。**脇役に「あんなヤツを仲間にするなんて！」と咎められても「いいじゃんか」と鷹揚に笑う。そこに常識的な価値観や先入観は存在せず「それはそれでいい」と受け入れる。

受容しているパパ活女子を卒業したのは「自分にとってマイナスだから」というシンプルな理由だった。

「こんなにストレスをためるくらいだったらお金なんていりませんってくらいモンハンをしたかったんで、やめました。お金よりみんなとゲームする楽しい時間を選んだんです。何事も等価交換ですから」

パパ活をやめてから、てんちむの貞操観念もがらりと変わった。

「お金で割り切る恋愛をやめてからは好きな人としかできなくなりました。今はもう大金と引き換えにセックスしたいとは思わないです。女性用風俗も体験したんですけど、好きじゃない人に触られるのが本当に無理で。体で気持ちよくなりたいっていうより、心で気持ちよくなりたいんですよね。

根っこの部分で、女でいたい、かわいい自分でいたいって思ってるんです。ちゃんと相手のことが好きじゃないとかわいくいられない。どうでもいい相手だったらどう思われてもいいから、別にすっぴんでいいし。

結局私は、がんばっていたいんですよね。恋愛だろうとなんだろうと、目指す目標に向かって努力していたい。ちゃんと相手を好きじゃないとがんばれないから、女として努力できる相手と一緒にいたいって思います。それが彼氏であれ、セフレであれ」

女っぽくもあり男っぽくもある。好きな人に抱かれたいというのは女性的であり、目的志向のセックスは男性的だ。恋人でもセフレでもいいという割り切りができるのも男性的である。

こうしたてんちむのスタンスは、女心を共鳴させ憧れさせる。「男みたいに割り切れたら楽なのに」と思う女性は一定数いる。女心ゆえの感情で共感を得ながら、自由な行動で憧れを得る。万人受けはしなくとも「全てに共感できるわけではないけど、わかる気もする。私もてんちむみたいに生きてみたいな」と思わせるのだ。

女にならずに仲間になる

自立していることともつながるが、**仕事で女を出さない**ことが同業の人気ユーチューバーから愛される理由になっている。女性ユーチューバーはもちろん、男性ユーチューバーにとっても素直に仲間意識を持てる希少な同業者であり、気兼ねなく「告白ドッキリ」などエンタメ性が高い恋愛企画を撮影できる。

長年活動しているてんちむは多くの男性ユーチューバーとコラボし「てんちむはリアクションがいい、抜群に話しやすい」と言われ続けた。頭の回転が速くポンポンと歯に衣着せぬ言葉が返ってくるうえに、表情筋をフル活用したオーバーリアクションもついてくる。ルックスがよく、男性ユーチューバーだけだと出せない華やかさが出る。

男性顔負けの露骨な意見や生活感がありすぎる部屋もさらけ出すので、他の女性ユーチューバーとのコラボでは紳士的に振る舞っているユーチューバーたちも「ぶはは」と吹き出す。

長年の付き合いがあり何度もコラボしている筋肉系ユーチューバーのぷろたんさんは「マジ女として見てない。こんなに素を出せるのはてんちむさんだけ。絵文字もなんもなくやり取りできる」と口角を上げる。

同じく何度もコラボしているヒカルさんも「てんちむみたいに喋れるやつってほぼおらんで」「同性だったら間違いなく親友レベルまでいっとったと思う」と絶賛。「てんちむとおると元気出るわ」という発言には、裏方スタッフも共感する。

付き合おうと口説くドッキリ企画ではてんちむのマンションに来訪するのだが、玄関に入るなり床に置いてあるだし醤油が目に入る。「なぜ玄関にだし醤油」という驚き冷めやらぬま

【告白】元カノてんちむにガチで付き合おうと言ったら一体どうなるのか？

彼氏と別れそうなてんちむが手料理振る舞ってきたので付き合わないか誘ったら意外過ぎた。

ま一歩進むと、和室の引き戸が外れて壁に立てかけてある。違和感を募らせながら入った和室は空き巣に入られたような有様になっていて、畳には開けっ放しのスーツケースと散乱する物、棚にはＤＪ機材、床の間にギター。カオスな空間に、ヒカルさんは「ええ？ちょ、すご。汚」とコメントしている。

最終的に告白ドッキリは彼女ではなく愛人にならないかと打診するトンデモ企画になっているが、てんちむはさすがのリアクションでしっかりエンタメにしている。ヒカルさんも「普通の女性ユーチューバーにはできないけど、てんちむならいけるかなって」と笑う。

「基本的に仕事が最優先だから、芸能人とかインフルエンサーを男として見ないんですよ。だからいい意味でどうでもよくて、素を出せます」とてんちむは言う。

自分らしいおもしろさを出すためには、異性になるよりも同性になることを意識したほうがよく、女であることを捨てて仲間になったほうが円満に長続きする。どれほど外見的魅力があろうと、**性に頼らないほうが仲間を増やす求心力は高まる。**

仕事で女性性を隠すてんちむは中性的でもある。外見では女性的な華やかさを醸しつつ、行動では男前な気風のよさを出す。取引先代理店の澤田さんは、てんちむに同行した弾丸ネパール旅行で豪華すぎる誕生日プレゼントをもらった。

「ちょうど僕の誕生日だったんで、てんちむさんがエベレストのヘリツアー（35万円相当）をプレゼントしてくれて、めちゃくちゃ男前でした。ほぼ同い年の女性ですし、企業からお金を出されることが多い人気クリエイターなのに、そういうのを気にせず付き人の僕に気前よく払ってくれるんですよね。シーシャやサウナに誘ってくれたときも『いいよ、私が払ったから』ってサラッと奢ってくれたり。女性らしい気遣いっていうよりは、男前な奢りって感じです」

『クラブＮａｎａｅ』の黒服・平出さんも、てんちむの飾らなさが魅力だと言う。

「富裕層男性を見慣れている僕らからしても気持ちいい金銭感覚を持っていて、それを取り繕わないんですよね。美人だけど飾らない彼女のスタンスと派手な金銭感覚は、経営者の方から見ても『この子は何か違う』と思わせる魅力になっていると思います。僕自身も彼女を美人で魅力的な人物だと思っているんですが、不思議と下心は生まれないんですよね。いい意味で、女性としてどうこうとは思わないんです」

アシスタントのしんちゃんは、てんちむが男性から人間的に好かれる理由を「てんちむ自身が男性的だから」と言い切る。

「僕はね、甜歌を女装した男だと思ってるんですよ。甜歌がライバル心を持つのはかわいい女性じゃなくて仕事ができる男性で、男性にばかり『くやしい！』って嫉妬しているのを見て、本当に男性脳なんだなって思いました。甜歌自身の感性が男性だから、男からしても接しやすいですよね」

類似性の法則により、人は共通点のある相手に親近感を抱く。競争心や合理性などの男性性を持つてんちむに共感する男性は多い。

一方で、感性で直感的に動いたり、感情的に喜怒哀楽を表現したり、共感脳で相手が欲しい言葉を与えたりする女性性もあり、完全に同じ土俵には立たない。

こうした点からてんちむは男性からも好かれやすく、助けを得やすい。派手で気前がいいてんちむには、同じように派手で気前がいい対応をしたくなるのが男心なのだ。

稼ぐ力を養い、陰と陽で惹きつける

ユーチューバーコラボ同様、〝女〟にならないのは権力を持つ虎たちに好かれる理由になっている。本人は「**そこら辺の〝女の子要員〟になりたくない**」と眉を寄せる。

「炎上で吹っ切れてからは唯一無二の存在を目指しているので、どんな相手であっても『てんちむはやっぱりてんちむだ』って思われたいんですよね。力のある人たちにそう思ってもらうには、一目置かれるだけの力がないといけない。影響力なのか、強いビジュアルなのか、圧倒的な特技なのか、何かしらの武器を持っていないと通用しません」

では、てんちむは何が評価されているのか。経営者の桑田さんは「**まずは稼ぐ力**」と断言する。

「経営者界隈では、まず『稼いでるかどうか』で人を見ます。稼いでいない人は論外なんですよ。経営者に求められるのはお金を集める力であって、それがその人が蓄積してきた信頼だと理解されます。信頼は人間力なので、誰かの紹介よりよっぽど信用できる情報です」

前提条件である稼ぐ力を見定めた後に「何をしているか」から人間性を見る。桑田さんは「てんちむは稼ぐ力の上にある上澄み液がすごい」と言う。それはSNSにおける影響力であったり、次々に新しいことにチャレンジする行動力であったり、人を飽きさせない独自性や話題性であったりする。てんちむの型破りで多様な行動から「今まで見たことがないタイプのおもしろいインフルエンサーだな」と興味関心を持つ。

また、てんちむが歩んできた人生は経営者受けがいい。何度も挫折し、ドン底に落ちながら這い上がってきたてんちむのストーリーに共感する経営者は多い。経営者も大きな浮き沈みを経て成り上がってきた経験を持つからだ。

『クラブＮａｎａｅ』の黒服・平出さんは、女性性を求められる銀座のクラブであっても、てんちむは富裕層の男性たちに人間性を認められ、応援されていたと語る。

「苦労しながら乗り越えてきた背景に共感して応援する経営者の方が多かったです。落ちてから上がってきた彼女の持論には説得力があるから重みが違って、尊重されるんですよね。素直に憧れる気持ちを持つ方もいたと思います」

ただ稼ぐ力があるだけの陽キャは、人としての深みが出ない。表面をなぞるような浅い会話しかできず、限られた時間を割いて関わりたいとは思えない。成金のようなグレーな雰囲気を醸し出しやすく、警戒されるリスクもある。

華やかに稼ぐ陽の要素も持ちながら、苦労をして底を知った陰の要素も抱えている人のほうが、力に真実味が宿る。信頼され、困ったときに虎の威を貸してくれる人が増える。虎の威を借るにはただツンと澄ました狐になるのではなく、攻撃力ある爪を尖らせた豹にならねばならないのだ。

ちなみに、**てんちむ自身も数え切れないほど虎の威を貸してきた〝あげまん〟**でもある。取引先代理店の澤田さんもてんちむの恩恵を受けた。

「てんちむさんが動画で『澤田は仕事ができて信用できる』って何度も言ってくれたから、ほかのインフルエンサーさんにも『澤田さんですよね』って最初から信頼してもらえて、クライアントからの依頼も増えました。

今は起業して代表になりましたが、てんちむさんがいなかったら起業していなかったと思います。起業当初から仕事が舞い込んできたのもてんちむさんの口コミあってのことなので、本当に感謝してます」

感謝の気持ちをてんちむに伝えたところ、「たまたま私の動画で先に注目されただけで、いつかはちゃんと評価されたと思うけどね」と笑ったらしい。

ライターの私も、この本を世に出すために「星天出版」を立ち上げ、代表になった。星天出版の「天」はてんちむから拝借している。彼女と仕事をするまで、こんな大きな転機が生まれるとは夢にも思っていなかった。「大手出版社からしか出したくない」と気にする人であったなら、私の転機も、この本も、生まれていなかった。

お人形さんにならない自我

主人公には自我が必要だ。主人公な自分をプロデュースするには、他者の価値観に左右されない、ある種エゴイスティックな〝確たる自分〟が求められる。

自我は、男性より女性のほうが出しにくい。日本文化的にアグレッシブな女性は「女性らしくない」とされるからだ。どれだけ女性が働く時代になり、会社でガンガン働けるようになったとしても、アグレッシブな女性がモテるかと言えばＮＯだ。もちろん個人差はあるし、うまく男性を振り回してモテるタイプの女性もいるが、何らかの自信がないと難しい。本人が「モテたい」と思っていなかったとしても、文化として浸透している以上は見えない同調圧力が働いていて、自我を出すのは勇気がいる。

そして、美しい女性は美しさを求められる。「そこに座ってニコニコしてくれればいいから」とトロフィーワイフのように美しさを消費される。港区で毎晩数えきれないほどの女性がトロフィーとして飾られているように、華やかな場にいる人ほどそういった求められ方をする。

美女インフルエンサーがひしめく飲み会を数え切れないほど見てきた澤田さんは「かわいい人や綺麗な人は、見た目を磨いて武器にして、見た目に対する相手の反応を起点に行動する受動的な人が多い」と語る。かわいいからキャバ嬢になる、綺麗だからモデルになる、といったスカウトありきの流れだ。

「でも、てんちむさんは自分から『こうしたい』『あれをしたい』って能動的に話すんです。自分で考えて行動したいんですよね。だから、ただ女性として扱われる場は嫌います。〃綺麗な女性〃ではなく〃てんちむ〃でいたいんですね」

自分から求めれば、相手から何かを与えられたとしても自分起点の能動的な行動になる。勝手に与えられたもので戦うのであればコントロールされる側になるし、望んで与えられたもので戦うのであればコントロールする側になる。てんちむは物怖じせず「**私はこれがやりたい**」**と主張することで、ハンドルを持ち続ける。**

彼氏の飲み会に彼女としてついていくことも嫌う。〃彼女〃という立ち位置で座っていると何をしていいかわからず、自分らしくいられないからだ。自分の色が出せない場を嫌い、自分の色を出せる場を好む。いつだって主人公であることを望み、我を通す力がある。

経営者の桑田さんは「てんちむは飲みの場でも媚びない」と言う。女性であることをむやみに求められやすい場では毅然とした態度を崩さず、〝てんちむ〟の価値を守る。

ただ、まだまだ男性優位な社会で女性が我を通すのはかなり疲れる。男性だろうと女性だろうと、何かに依存しなきゃ生きていけないときや、何かにすがらないと押しつぶされそうなときだってある。心の拠り所にパートナーを選ぶ人は多いだろう。

しかし、てんちむがすがるのは仕事だ。「男に依存するくらいなら仕事に依存する」という方針である。

「恋人と喧嘩して嫌いになっても、会わない期間にさみしくなって、相手が美化されたりするじゃないですか。それって依存だと思うんです。自分が抱いているのが好意なのか執着なのかわからなくなって『相手や自分を傷つけてでもいいから会いたい』って思っちゃう自分が好きじゃない。

私ってわりと依存体質で、恋愛だったりゲームだったり仕事だったりに依存してきたんです。依存して一番デメリットが多いのが恋愛で、少ないのが仕事でした。**どうせ依存体質が治らないなら、仕事に依存したほうがいいって思ってました**」

てんちむが依存体質なのは、穏やかな安定を嫌う刺激中毒者であることと、自分が好きじゃないことが原因だろう。何らかの刺激が欲しいが、好きじゃない自分に恋心を抱く相手との恋愛は受け入れられず苦しくなるから、利害関係で他人とつながれる仕事を好む。仕事で悩みが生まれても恋人ではなく仕事仲間に相談して、仕事の話は仕事内で完結させる仕組みを作っている。

「仕事仲間のしんちゃんは何でも言える存在。メンタルがやばいときも叩き上げてくれます。恋人の前ではいい女でいたいって思っちゃうからプライドを捨てきれないんですけど、仕事仲間の前では女を捨てているから弱いところも見せられます」

これも感情の波が大きい女性を共感させ、憧れさせる。依存してしまったり、メンタルブレイクする気持ちには共感し、それでも恋人に甘えず、仕事で乗り越えられるのはかっこいいと憧れる。自分と同じだけど違う、弱くとも自立している女性像が見える。

女性が追いかけたくなる主人公は、共感できる主人公だ。少年漫画のように圧倒的な強さを持ち、痛みに疎いキャラクターだと共感できず、読者は置いてけぼりになる。見ていても熱量が生まれず、推したくはならない。

てんちむは全身全霊で仕事をしつつも、幸せそうにしない。働く女性の共通疑問である「**私、なんのために仕事をしているんだろう？**」を抱え、言葉にしている。

「仕事をがんばっても、生きる目標がないと『私、なんのためにがんばってるんだ？』ってなります。もともとは『てんちむをどんどんでかくして、いろんな人からうらやまれる存在になりたい』って承認欲求が強かったんですよね。でも今は自立しすぎてモテないし、大抵のことも1人で出来るし、強くなりすぎた気がします。

女性は『いい会社に勤めてるハイステータスな男性と結婚する』のを目指す人が多いと思うんです。私もそういう気持ちがないわけじゃないんですよ。でも、心のどこかで相手も自分も信じきれなかったり共依存が怖かったりするから『生涯、自分の面倒は自分で見たい』って気持ちが強いです。

誰かに頼りたいなって思うこともあるけど、頼るまでもないかって自己解決しちゃうし、強くなりすぎて頼り方を忘れました。今幸せかって聞かれても、よくわかんないですね」

仕事に振り切ってはいるが、一般的な理想の女性像に縛られて苦悩する様子も語り動画で赤裸々に出している。

「私最高にハッピーなんで」と圧倒的強者にならず、満たされない一般人を置いていかないところがインフルエンサー向きだ。ＳＮＳでスマホ越しにつながるインフルエンサーは、**共感ツールでなくてはならない。**共感の生クリームをたっぷり塗った上に、憧れというイチゴを乗せるのだ。

大人になると、人は自分の限界を知り、あきらめる。無意識に、自分の夢を叶える代走者を探している。代走者に選ぶのは、自分を上位互換した代弁者だ。**共感の上に憧れを乗せた代走者に、人は熱狂する。代走者を主人公にして、叶わない夢を追う。**それがアイドルであったり、インフルエンサーであったりする。

てんちむは絶望からの再起で希望を、共感と憧れで魅力を、リセットによる転身で挑戦を、主人公たる活躍で夢を届け、見る者の推し感情を昂らせた。ふつふつと沸き立った熱は、見えない枠に収まっていた現状を破壊する行動力を与える。

葛藤しながらも振り切った自我で限界突破し、孤独と不幸を抱えながらも自由を謳歌し、女の枠を叩き壊していくてんちむは、現代女性の代走者であり、見えない鬱憤を晴らしてくれる革命家だ。知らず知らずのうちに、てんちむが主人公の物語を食い入るように見つめてしまう。

▶II てんちむを辞めたい

過剰なプロ意識に殺されながら生きてる

てんちむは、23歳からずっと「ユーチューブで活動していても幸せじゃない」と考えていた。ユーチューバーになってお金も自信も地位も、推してくれるファンもうなぎ登りになったが、幸せには直結しなかった。

「動画で自分をさらけ出すことで、仕事ではたくさんのものを得たけど、プライベートではたくさんのものを失って、心が荒さんでいった」といった言葉を繰り返し吐露している。

たとえば撮影に向けてのダイエット企画では、1週間後のグラビア撮影に向けて自戒の意を込めて過去最高の体重を公開した。床に体育座りして「マジ嫌なんだけど。なんでさ、こういうさ、マイナスブランディングになることをさ、やるの!?私は！」と叫んでから体重計に乗り、電子音が鳴った瞬間に「あ、あ、あ、死ぬ死ぬ死ぬ、死ぬ！」と叫びながら倒れた。表示された数字は57.8キロで、床に寝そべったまま「過去最高じゃない？」と呆然としていた。

【体重公開】これがリアルです本当に痩せる

「体重の公開はもう、荒みました。マイナスな部分をさらすことで『勇気をもらいました』って元気になってくれるファンもいるし、『一緒にがんばろう！』って応援してくれるファンもいるし、動画の再生数もめっちゃ取れるんですけど、本当はさらしたくない。仕事だからってプライベートの自分をさらしすぎると、心が死にながら生きてるみたいな感じになります」

〝てんちむ〟の過剰なプロ意識が無自覚にプライベートの自分を喰らいつくし、一体化してしまう。

「なんでもかんでも仕事にしちゃえばいいやって考えて、公私混同しすぎちゃうんです。もっと仕事の自分とプライベートの自分を切り分けて、私自身の偶像性を高めてもいいのに『30歳手前でブランディングを練り直したところで何になるんだろう』って気持ちもあって、方向転換する気にはならないですね」

タレントやブロガーだった頃は、オンとオフの境目が今よりはっきりしていた。ユーチューバーになってからは、てんちむ自身のライフスタイルを切り出して動画にするスタイルを選んだため、境目がなくなってしまった。

動画の作りやすさや個性の表現を得た一方で、少しずつ心が摩耗していく。

「ユーチューバーになってプライベートをなくしてしまったことで、自分を大事にできなくなった気がするんです。プライベートが充実していないと、人間って自分のことを大事にできなくなるんですよね。アラサーになって『そこまでして私は何になりたいんだろう、どんな評価を得たいんだろう』って思うようになりました。

ユーチューバーになってから仕事に振り切った分、〝てんちむ〟はすくすく育っていきました。でも、心は育っていかなかった。てんちむにたくさん助けられたこともあったけど、30歳からの人生を考えると、てんちむじゃなくてプライベートの自分を育ててあげないと大切なものを失っちゃうんじゃないかって思うんです」

これといった理想像がないてんちむは、他人の理想像に自分を当てはめ、視聴者が求めるてんちむを理解して、多くの人に推される完璧なてんちむでいるよう心がけた。普通なら隠したいパーソナリティもニーズがあるならさらけ出した。

すべてを演じてきたわけではないが、**いつか自分が本当のピエロになってしまうのでは**と恐ろしくなった。数字を追い過ぎて心が麻痺し、本当の自分は何をしたくてどうなりたいのか、自分らしさとは何なのかが、もはやわからないのだった。

「仕事とプライベートのバランスを取るのは難しいけど、ユーチューバーっぽい作り上げた企画よりも生の自分を見せて、リアルな生きざまを届けたいって気持ちが生まれました。今後たくさんのインフルエンサーが出てきても、誰も真似できないようなてんちむを確立したいって思っていたんですけど」

私は目線をノートに落とし、強い言葉をメモする。ペンを走らせながら質問した。

「そしたら、これからユーチューブでどんなコンテンツを発信するんですか」

何を聞いても間髪入れずに答えるてんちむから、言葉が返ってこない。

不思議に思って顔を上げると、てんちむはもうこちらを見ていなかった。

２０２３年９月をもって、てんちむは無期限活動休止をした。

LOADING...

プロローグB

成功の復讐

この本を読んだあなたは、私に対してどんな印象を持つんだろう。強い？自立？自由？破天荒？想像通り？

私はこの本を読んで「**とても頑張ってるはずなのに、かわいそうな人**」に見えました。この本の取材期間中は、私自身を見直す期間でもありました。

ユーチューブを始めてからずっと仕事に打ち込んで、たくさんの自信と、お金と、知名度と、そして強さを手に入れて〝てんちむ〟は大きく成長しました。

なのになぜ、私は幸せじゃないんだろう。こんなに恵まれてるのに、こんなに頑張ったのに、常にもがいて、葛藤して、心が満たされないんだろう。

それは、きっと仕事に振り切って、自分の心を置いてけぼりにしたからだと思います。「多少傷ついてもお金になるならいいや」って割り切ったら、**心がすり減っていきました。**仕事の成功と引き換えに心を割り切りすぎて、倫理観や価値観、そして自分自身を失いました。

〝てんちむ〟は自分に自信をたくさんくれたはずなのに、気がついたら自分自身が嫌いという矛盾に陥っていました。


今は炎上商法や過激なことすれば、誰でも簡単に有名になれると思います。

でもそれで有名になったところで、幸せなのか？

その一瞬の後はどうなのか？

何を手に入れるのか

私は本当に、こんな自分になりたかったのか。こんな自分を求めていたのか。


てんちむは「仕事に振り切ったからこそ今がある」と理解したうえで「これは正解ではなかった」と言う。

なぜ、てんちむは心をないがしろにし続けたのか？

ユーチューブでは、再生回数も登録者数も視聴者のコメントも、すべてが可視化される。仕事を自信の拠り所にしていたてんちむは、仕事で成果を出さない自分に価値を感じられなくなっていた。数字という成果が伴わず「オワコン」と揶揄されるのが怖かった。そんなことになったらこれまで感情を捨ててきた自分が報われないと考え、意地を張った。インフルエンサーという仕事の価値になる再生数や注目度を集められるならと、自分の感情より数字を優先した。

「自分の心を大切にする精神が足りなかった」と呟く。

「私は、てんちむとして活動している限りそういう行動を選んでしまいます。同じように表仕事をしているアイドルの子は『プライベートを大事にしたいから仕事をがんばる。プライベートで損するようなことはしない』って言っていて、満たされてるように見えました。それがすごくうらやましかった。

がむしゃらにがんばるのは楽しいけど、自分の心を大事にできない私はやっぱり満たされなくて、いつも『てんちむを辞めたい』って飢えているんです」

てんちむは「行動の根本に何もなかった」と言う。目指すからには一番上をと突き進んできたが、**なぜ有名になりたいのか、なぜお金が欲しいのか、なぜ強くなりたいのか、すべての「なぜ」がぽっかりと空いていた。**

「ユーチューブを始めたばかりのゲーム実況時代はお金を稼ぐのが目標だったから、数字を取るために〝見た目が良いけど口が悪い暴言厨〟ってキャラを作って、無駄に過激なことや本当は見せたくないエロ要素もたくさん出しました。

でも、そこまでして数字を取ってお金を稼いで何がしたいのかって聞かれると何もないんです。一度上がった生活水準を下げるのは難しいから、再生数を維持するためにも手段を選ばなくなって、どんどん自分の心を無視して数字を求めるようになりました。自分の心を大事にして、**結果より過程を重視したほうが満たされていたかもしれない。**てんちむを辞めたいなんて思わなかったかもしれません」

小学生で『天才てれびくん』に出演したときから、結果重視の行動ばかりしていた。求められている仕事をやらなければ撮影が終わらず、結果を出さなければ未来の自分にとってプラスにならない。であれば仕事と割り切って、とにかく効率重視で結果を出そうと努めてきた。

小学生のてんちむは、マネージャーに「やりたいことを1個やるには、嫌なことを10個やらないといけない」とたびたび叱責され、母に「遊びたい」と言えば「遊びより仕事のほうが大事でしょう」とたしなめられた。幼く素直な脳みそに、仕事最優先の価値観が沁み込んでいった。

そして幸か不幸か、彼女は仕事で成功してきた。数々の成功体験は仕事最優先の価値観を肯定し、さらに奥深くまで根付かせていった。

仕事の成功はてんちむを上に引き上げたが、橋本甜歌は満たされず、幸せになれなかった。

これまでは目標達成のためなら手段を厭わなかったけど、年齢を重ねるにつれて経過を重視するようになりました。大人になったのか、心がすり減って疲れたのか。

自分の心を守らずに理想を捨て、仕事に振り切って得た名声や富では、私は満たされなかった。だから、てんちむを辞める選択をしました。

経過を重視して質が伴った成長をするには時間も労力もかかるし、結果につなげるのも難しいけど、とても大切なことだったんだと痛感します。

数字に捉われることや人気になることだけが大切じゃない。心が「やりたくない」と言っているのに、再生数のために過激なことをして評価されても、やっぱり心が荒むだけ。自分の心を大切にして、心も一緒に育てていくべきだった。

何か物事を始めるなら、自分の心に「なぜそれをしたいのか」理由を問いかけるべきだと思います。

ただ「お金を稼ぎたい」「有名になりたい」って目先の欲だけじゃなく、「その先にどんな自分を見たいのか」を明確に描けたら、それがきっといい経過を生むし、自分を大切にする手段になる。

そんなわかりきったことができなくなってしまったのは、ユーチューバーとしてのプライドが勝ってしまって、数字が取れなくなった自分をみじめだと思いたくなかったから。さんざん「プライドは捨てた」って言ったけど、結局自分のブランドや人の目を気にしてしまっているんだと思います。

炎上のときは〝てんちむ〟を生かしてファンへ誠意を見せるのが最優先だったから、自分のプライドを優先している場合じゃなかったし、失うものは何もないドン底から這い上がるだけでよかった。

でも今はがんばっても結果が伴わないと自信を失うし、恥ずかしいと感じてしまう。私が「がんばっても成果が出ない人」を見るとかわいそうに思ってしまうから、そうなりたくないってプライドがあります。

頭では心が大事だと分かっていても、てんちむでいる限り数字と戦ってしまうんです。

次はてんちむを捨てる番

私はリセット癖があって、今の自分を破壊しては新しい自分を作ることを永遠と繰り返してます。なぜだろうと考えてみたら、どうやら私は死なないためにやってるみたいでした。自分の破壊は、無謀な理想を持って苦しまないよう、自分自身をあきらめさせる行為でもありました。

昔からそうです。

清純派子役を辞めてギャルになったのも、地元を捨てて上京したのも、ギャルを辞めてニートになったのもそう。

――きっとこのまま生きたところで「死んだほうがマシ」と思う未来になっているんだろうな。

そう感じる局面にぶち当たるたび、リセットしてきたつもりです。

今回〝てんちむ〟を辞めるのも、「幸せになるため」ではなく「死なないため」。

たくさんの人のおかげでいろんな景色を見られて、普通に生活していたら味わえない経験ができて、たくさんやりたいことが実現できて、本当に感謝しています。

でも、私のピークは終わった気がしていて、これから先てんちむとして生きていても、幸福度は現状維持、もしくは徐々に下がっていく気がします。

仕事で得た自信が、これからは不安に変わっていく番。

ユーチューバーに限らず、タレントも芸能人も、みんなどこかで全盛期後の現状を受け入れてる。でも私は30歳を迎えて「もう世代交代だ」と言われながら、前ほど得られない数字にメンタルを振り回され、プレッシャーと戦い、見た目も年齢に抗うようにメンテナンスして、自分を切り売りして、無理やり話題作りをして、それでも落ちていく自分を見たくない。

それを受け入れるぐらいだったら、いっそ終わりにしたほうが、私は救われる。

――華があるうちに全て辞めよう。遅くても30歳を迎えるときには。

再生数が落ちるにつれてその思いが強くなり、揺るがない決断になりました。

ユーチューブでウーバーイーツ動画、炎上動画、海外動画と、ヒットコンテンツの上塗りをしてきたてんちむは「**もう何も未練はない**」と言う。

「今は伸びると思った動画を出しても前ほど結果が伴わなくて、あきらめてる感じですね。やれることはもう全力でやったからこそ、未練はないです」

てんちむは、活動を続けた場合の未来が想像できると語る。自分の限界が見えているということだ。現状を受け入れながら無理やりネタを作り、15万回前後の再生数をキープして、さほど今までと変わらない生活を続けるのがパターンA。結婚や出産をして、パートナーや子どもと暮らす安定した日常をコンテンツして発信し、ママポジションを作るのがパターンB。

いずれにしても一定の人気と人並み以上の生活を送れるはずだが「その未来にさほど魅力を感じないし、やりたいとも思えない」と首を振る。

「どの選択をしても、数字を追って心を犠牲にするなら幸せではないと気付いたので。私にとって〝てんちむ〟は仕事だから、数字による見せかけの幸せに浸ることしかできません。特に再生数が可視化されるユーチューブだと、自分を犠牲にして過激なことをやりかねない。自分のためにも一旦全部終わりにします」

25歳までのてんちむは「人生＝仕事」だと考えていて、死ぬときは「仕事をやり切った」と思いたかった。しかし、アラサーになってから「なんでこんなに必死で仕事をしているのか」「なぜこんなに恵まれているのに満たされないのか」「がんばった結果がこれか」と疑問を感じるようになり、仕事は人生の一部にしか過ぎないと知って「人生＝人生」になった。仕事に人生を全賭けする価値観は捨てようと決めた。

そのためには〝てんちむ〟を辞めて〝橋本甜歌〟を再生させないといけない。**てんちむの無期限活動休止は、唯一の強制リセットボタンだ。**数千人の連絡先が入っているＬＩＮＥアカウントも削除して、人間関係をほぼすべてリセットさせるという徹底ぶりである。

「関わってくれた人には感謝しています、本当に。だけど…人の目を中途半端に気にしてしまう自分が何にも囚われず〝てんちむじゃない生活〟を送るために、辞める自分を尊重するために、人間関係はリセットします」

「あのときに頑張ってたら」「もし続けてたら」といった未練を抱かないよう、あらゆる人間関係を断つことで〝てんちむ〟の可能性を消したいと言う。

他者との関係をほとんど残さない辞め方は、いかに自己を仕事で割り切っていたかもよくわかる。てんちむは感謝の意を述べつつも「もう関わることがない人たちにはどう思われてもいい」と言った。

その言葉を聞いて、これだけ華々しく活躍してきたてんちむの人生を初めてさみしく感じた。どれだけ自分を切り売りしても、誹謗中傷されても、大切にしたい人間関係が築かれていれば多少は救われる。仕事や地位を捨てても、けして手放したくない財産になる。

でもてんちむは、〝てんちむ〟を手放してもつながっていたいと願う人間関係がほぼないのだ。まっさらになっても大切にしたい人を、作らずに走って来たのだ。作れなかったのではなく作らなかった。何よりも仕事を優先したかったから。

「『自分を大切にしないと人を大切にできない』って言葉をそれほど信じていなかったけど、本当にそうなんだと思います。ないがしろにしてきた自分の心を大事にしなきゃ先へ進めないって気付きました。私の自信はてんちむが作ってきたものだから、てんちむを捨てても橋本甜歌に自信が持てるくらい成長しないと、同じところで一生立ち止まる気がします」

長年心を殺され続けた橋本甜歌の再生は大きな課題だ。

もっと自分を大切にできてたら、もっと自分が好きだったら、数字がなかろうがてんちむを続けていたかもしれないし、好きな人と結婚して一緒になる、俗に言う「幸せな選択」をできたんだと思います。

でも私にとってそれはハードルが高すぎる。
心を捨ててきた私は、心が育っていません。
だからてんちむが失速したら、私の自信も消えてしまう。

このままてんちむとして生きる未来は、見たくない現実がたくさん待っているのでは？
私はそれを受け入れられるのか？

そう自問自答した結果、てんちむを捨てて橋本甜歌を生かす道を選びました。

自立はしても強くはいるな

私を救える人は誰もいなかった。

本当に自分で救うしかないんだなと、思い知らされました。

これが私が作り上げた結果なんだと悲しく思いつつも、さらに私を強くさせます。

たぶん、私は人として強くなりすぎた気がします。評価を気にせず意見を言えるし、欲しいものは自分で買える。

でも、強くなりたかったわけじゃありません。

強くならなきゃいけない状況や、割り切らなきゃ進めない場面が多かったから、その結果、強くなってしまったんだと思います。

私はこんな強い自分が頼もしいけど、全くかわいくなくて嫌いでもあります。

気がつけば人に助けを求められなくなり、大丈夫じゃなくても「大丈夫」と答えたり、弱音を吐く場所がわからなくなりました。夜な夜な枕を濡らして耐え、人に心配をかけないよう自己解決に励み、気持ちが切り替わるのをただひたすら待つようになりました。

強くなればなるほど素直になれず、どんどん孤独も感じます。

これって本当の強さなのかな、と疑問を感じるんです。

別に、ここまでの成功はいらないから、ちゃんと自分を大切にして、つらいときに「つらい」

と助けを求められる子でいたかった。
気づけば自分で作り上げてしまった〝強い女性〟の鎧に囚われすぎて、とても苦しく生きづらくなっていました。

てんちむを辞めたら、素直に「助けて」と言える女の子になれるんだろうか。

てんちむは自立した女性である。それは素晴らしいことだと思うが、本人はそんな自分がしんどいと言う。紐解いていくと、苦しいと感じているのは自立していることではなく、他人を頼れないことであった。そして、自立した自分が世間の「かわいい女性像」と一致しないことに無意識のコンプレックスを抱いていた。

「相談して意見を求めることはできるけど、手放しに『助けて！』とは言えないんです。てんちむなら自分で何とかできるだろうってイメージがあるし、私も『これくらい自分で解決できなきゃダサい。私は強いから大丈夫』って自分にプレッシャーをかけちゃう。ないものねだりかもしれないけど、自立してる女性よりも、人に頼りながらかわいく〝女の子〟してる女性のほうがうらやましいです」

てんちむが人を頼りたいと思いながら頼れないのは、人との距離を保ち、裏切りで傷つくことを恐れ、他人を信じないことで自己防衛してきた生き方も影響しているように思う。手放しに「助けて」と言うことは、相手に全体重を預けるということだ。他人を信じていないのに寄りかかれるはずがない。

そうして自立心ばかり強くしてきたからこそ、他人を頼れる人や弱音をちゃんと吐ける人に憧れる。だが、てんちむのキャラクターは仕事の成果を追い求め、より強くあることを望み、逆の方向へ走っていた。

ぽつりと「強さをはき違えていたのかも」と言う。

「私が強さだと思って守ってきたものは、強さではなく強がりだったんだと思います。周りの人にてんちむ強いねって言われても、うれしさではなくプレッシャーを感じるようになっていきました。私は強いと自己暗示をかけた結果、抱え込んでしまったり病んでしまったりして、プラスなことはなかったように思います。

どんなに苦しくてもやり切ることや弱音を吐かないことも強さだと言えるけど、弱さを出せることこそ強さだと思うんです。そんな自分だったら今ほどの成功はなかったかもしれないけど、もっと楽だったのかな」

ただ、心のどこかで「他人に救ってもらうことを期待していた」とも言う。埋められない穴を、心の飢えを、だれかが満たしてくれることを望んでいた。

でも、どれだけ人気が出ても、だれに愛されても、満たされなかった。

「更新頻度を優先してコンディションが悪い状態で撮影をしたり、無理やり好きピ（恋愛感情を向ける友達以上恋人未満の相手）を作って動画のネタにして人気や愛情を得ても、どんどん心を切り売りして求められる自分を見せているだけだから満たされませんでした。

年を重ねるにつれて今までのさらけ出しすぎるキャラクターやコンテンツに限界を感じるようになっても、人気は需要と供給で成り立っているから、見せたい自分にニーズがなければそれを出すのが正解だとも思えない。

この仕事において客観視はとても大事なことだけど、他者評価を重視しすぎると自分がないがしろになります。だから今はインフルエンサーの仕事から離れて、人気や数字といった他者評価に囚われず、自分を大切に生きてみたいです」

他人のニーズに応えて推される人気を得たてんちむだが、それは自己犠牲のうえに成り立っていた。他人に推されれば力は得られるが、自分に推されないと心は満たせない。

てんちむとしてやれることは全部やり切ったつもりだけど、満たされない欠落は、他の誰でもなく私自身が作り上げたものです。

てんちむとして生きる世界線は大体の天井が見えていて、それを突破するほどのエネルギーも自分にない。このまま生きるくらいなら、てんちむじゃない自分で歩んでみたい。てんちむには味わえない景色や感情があるのかな。

並行世界があったとしても、私は同じような選択をして、やり切って、てんちむを辞めたと思う。

やり残したことや後悔がないから、無期限活動休止という決断ができます。

〝てんちむ〟の果てはなんだ？　いつまで続くのか？　どうしたら終わるのか？

このままてんちむを続けてても、てんちむを辞めた道を選んでも、私はとても苦しいと思います。右行こうが左行こうが地獄です。

なら、想像つく未来が待ってるてんちむの道を歩むより、全部捨てて予測不能な橋本甜歌の道を歩んでみたくなりました。ほかのだれでもない、私のために。

これからの人生は、何者でもない自分を推せますように。

GAME OVER

▶CONTINUE

END

画面の裏にいた残り90％のてんちむ

この本は、わりと無茶苦茶な本だと思う。インフルエンサーの本で「推される力」とくれば読者に「ＳＮＳがんばろう！」と思わせるのがセオリーだが、本書はてんちむが「**しんどいからもう辞める**」と宣言して終わってしまう。そんな本あるか？

本書を出版するにあたり「てんちむというインフルエンサーの底力を伝えつつ、読者のＳＮＳ活用やブランディングの一助にしたい」と思っていた。インフルエンサーの陰と陽を描きながら、ＳＮＳやブランディングの可能性を伝えたかった。

もちろんそれらの情報を多く書いたが、てんちむの本音はあまりにも陰が濃かった。彼女の本音を約50時間も聞いて書いていたら、著者である私自身が「**ＳＮＳはがんばりたくない**」と思ってしまった。そんなことあるか？

だからこの本には「推された人間の幸福度」というサブタイトルがついた。

取材して思ったのは「**てんちむ自体がコンテンツだ**」ということ。一般的な取材ではテーマに沿って聞いた情報から強い情報を探して組み立てていくのだが、むき出しの自我を持つてんちむは彼女そのものが強いコンテンツで、どこを切り取っても引きがあり、どれをどう使おうか逆に迷った。何を聞いてもエッジが効いていて、山と谷があり、ネタの宝庫なのだ。

何十時間喋っても、彼女の感情や思考はとどまることなく溢れ続けた。普通はなかなか答えられないものなのだが、どうぞ語ってくださいと言えばいくらでも語れる。一体どれだけ自分と向き合い、内省してきたのか。それだけアップダウンのある人生を葛藤しながら生きてきたのだろう。

1章に入れた、てんちむの濃い絶望がにじむ文章には息をのんだ。

「この先ずっと幸せじゃない。でも何しても茨の道だから受け入れてあきらめるしかない」

「私、心底、彼氏がいなくてよかった。子供もいなくてよかった。迷惑かけるのが申し訳ないけど、まだ家族だけでよかった。大切なものを作ると、失ったり手放さなきゃいけないときが苦しいからよかった」

炎上後に動画を撮り続けながら、無人島でガシガシと歩きながら、こんなことを考えていたのかと思うと本当に切ない。

てんちむの諦観はユーチューブの語り動画でも発信されているが、ここまで強い絶望は明かされていない。彼女は自分のパブリックイメージが「元気で派手なてんちむ」であることを知っているし、動画はあくまでエンタメだと認識しているから、重くならない程度に抑えていたのだろう。

こうした割り切りは「他人に言ったところでしょうがない」と自分の心や他人の存在を突き放すあきらめになっている。あきらめを積み重ねてきた本人は、こちらが「そんなことない」と手を差し伸べたところで到底届かない場所にいる。いくら血の通った言葉を投げかけようと、てんちむの冷めた瞳が芯から灯る気はしなかった。何十時間取材しても、どれだけ彼女が本音を打ち明けようと、あけすけに心を開くさまは想像できなかった。

異常なくらい他者との壁が厚いのにＳＮＳという表舞台では明るく輝くから、書き手としてその光陰を鮮明に描きたくなった。それがこの本において私がやるべきことだと思い、深掘りして書き続けた。

てんちむのあきらめや絶望は生存戦略だ。無鉄砲なまま表舞台で輝く魅力を得てしまった少女は、衝突事故のように繰り返すトラブルや炎上に心折られずのし上がっていくために、ストレス源となる自他への期待や感情を割り切って捨てた。あきらめて絶望することで、悲しみや苦しみを無視して進む力を得た。

自由な性格と強い感受性を仕事現場で持て余し、「**嫌いにならないために好きにならない。好きにならないために親密にならない**」といった**回避スタンスの対人関係**を築くようになった。嫌っていいし、怒っていいし、悲しんでいいのに、仕事最優先ゆえに「人間関係の不和は仕事の邪魔になるから」と避けてきた。嫌う前に距離を取って自分の心に蓋をする。意図的に壁を作って不感症になる。

だからあれだけ炎上しても、盤面をひっくり返すために死に物狂いの行動ができた。自己責任だと念じ、バッシングと誹謗中傷による心の痛みを無視することができた。そしてここまで生き延びた。

私が打ちのめされたのは、てんちむが書いたプロローグBの一文目だ。

> 私はこの本を読んで「とても頑張ってるはずなのに、かわいそうな人」に見えました。

書き手である私も、取材に答えた関係者も、みんなてんちむをさまざまな言葉で肯定していたのに、1冊まるごと読んで自分を「かわいそうな人」だと定義したことに彼女の闇深さを感じた。人気や影響力は自覚しながらも、あらゆる人の好意や愛情を受け取れずにいる。

やはり、てんちむがだれよりも自分を認めていない。認めていない自分への賛辞はどれほど積み重なっても心に届かない。**どれほどの他者肯定も強固な自己否定に敵わない**。無期限活動休止を決めたてんちむに一番多く寄せられるコメントは「幸せになってね」だそうだ。それは「自分を愛してね」ということだろう。ＳＮＳを離れて自分の心に向き合ったてんちむが他者の愛情を受け取れるようになったらいいなと、切に思う。


てんちむが女性であったことも根深い自己否定につながっているように思えてならない。彼女は29歳で無期限活動休止を選んだが、もし男性だったなら辞めていないのではないか。

本人も「恋愛をすると自信がなくなり、不安になる」と語ったように、**いつも仕事第一で突き進んできたてんちむの心を揺さぶり続けたのは〝理想の女性像〟**だった。実績となる地位と名誉が性的魅力にもなる男性と異なり、てんちむは自分の財力や影響力を「モテない要素」と捉えていた。自立を望んで手にしながらも理想の女性像と合致せず、自分の力を無条件に肯定できなかった。仕事も恋愛も結婚も出産も育児も家事も、すべてを叶えないとうっすらとした後ろめたさを感じる現代女性ならではの苦悩がある。

ＳＮＳと〝女性という性〟がてんちむの力を増大させたが、最後までてんちむを苦しめたのもそれらだったように思う。あれだけ自由奔放な価値観と力を持ってんちむさえ、ＳＮＳの舞台では多様性という言葉の上に立てなかった。その事実にもまた、打ちのめされた。

この本は無茶苦茶であると同時に、とてもいい本だとも思っている。インフルエンサーであるてんちむのエピソードから人に推される方法を具体的にお届けしているが、メディアやＳＮＳなどの表舞台に立つ人々が目に見えない葛藤を抱え、背景を負い、その重みを代償に力を放っていることを伝えたかった。その重みは当事者にしかわからないが、少しでも推し量る想像力の欠片になったらいい。

「忖度ないあとがきを書いてくれ」とてんちむらしい要望をいただいたので無遠慮に書いたが、やはり彼女の底力はすさまじく、人間としても女性としても尊敬している。無期限活動休止はさみしいが、地続きの平穏な日々のなかで心と向き合って、自分を愛してほしい。

いつか戻ってきたときには、枠にはまらぬ彼女が呼吸しやすい社会になっていてほしい。戻ってこずともてんちむの幸せ不感症が治ればそれでいい。私の推しなので。

秋カヲリ

お久しぶりです。てんちむです。

まず、この本を手に取ってくれた皆さま、ありがとうございました。今回の本は、要らない見栄や理想を省きたかったり、私自身が客観視した私を見たかったりで、ライターの秋さんに書いてもらいました。

「この本で私を知ってほしい」と言うよりも、生きていかなきゃいけないうえで乗り越えることや諦めて受け入れることなど、何か得るものを届けられたらうれしいです。私の体験はちょっと荒治療かもしれないけど。

そして今は活動休止をしていますが、改めて応援してくださった皆さま、ありがとうございました。

この本を読んだ人がどんな印象を受けたかは分からないのですが、てんちむとしてユーチューバーやインフルエンサーをやり尽くしたと思っています。「これ以上はない、作れない」と自分でも思えるくらいやり切れたからこそ、休止の決断もできました。てんちむとしてやりたいことも、やり残したこともありません。未練や後悔なく終われました。

いつしか「もう自分だけのためには頑張れないなぁ」と思うようになったのですが、本当に年々、自分のために頑張れなくなっていて。辞めるきっかけは何度かありましたが、応援してくれる方や動画を見てくれる方がいるから、最後まで頑張るモチベーションになっていたのかなと思います。

ファンの皆さまにはたくさん支えられました。何度言っても足りないけど、改めて本当にありがとうございました。

さて、休止してからというもの、当たり前に更新していたＳＮＳを更新しなくなり、ユーチューバー必需品のパソコンを全く触らなくなって、埋まっていたスケジュールも白紙。当たり前が当たり前じゃなくなった日々に、わかってはいたものの戸惑いを感じながら毎日を送っています。

辞めてからどう過ごしているかと言うと、終日家でウーバーイーツを頼み、昼寝しては漫画を読み、ダラダラしていたら1日が終わってしまう日々。休日なら最高かもしれないけど、毎日続けていると「今日も1日を無駄にしてる」「無駄に時間が過ぎてるだけ」と、毎日を充実させず無駄にしてる感覚にストレスを感じるようになってしまい、今は用事がなくても外に出てカフェしたり、一丁前にエステやピラティスに行く日も作って、無理矢理にでも一日を充実させることに意識を向けています。

仕事もＳＮＳも人間関係も極力断ち、遊びにも行かず、ちょっとストイックすぎるような気もするけど。でも、今は私が人として本当に変わりたいときでもあるから、ここまでしています。

人が変わる方法は「時間配分を変える」「住む場所を変える」「付き合う人を変える」の3つだと言うけれど、本当に環境や関わる人で人間は変わると思います。極端かもしれないけど、こうでもしないと変われない。ここまでして今まで自分がいたフェーズから脱却したい。だからちょっとストイックかもしれないけど徹底してます。

やっぱり夢中になれるものがなかったり、何もやることがない毎日は、追われることがなくて楽だけども、楽しいかと言われたらそうではない。これが5年前なら「毎日ゲームできる！むしろ最高！」と思えただろうに、今はゲームに夢中になれず。これまであんなに働きたくないと言ってたのに、今じゃ暇な毎日を苦痛に感じるほどになってるし。

でもその中でも、たまに友人と会って喋るとすごく息抜きになって刺激をもらえるので、やっぱり大切なのは人か、と思ったり。成長なのか気付きなのか、まっさらになってわかることは色々あります。

休止を発表してから「幸せになってください！」とたくさん言われました。幸せには実態や定義がなく各々の物差しだからこそ、幸せなときに幸せと気付けないことが多かったと思います。振り返れば、あのとき幸せだったよなぁ、何も怖がらず噛みしめておけば良かったなんて思ったりして、とてももったいないことしてるなぁと。

私が幸せにならないとファンの皆も報われないというか、それこそ最大の裏切りな気がしてしまうので、私なりの幸せを手に入れられるよう生きたいと思います。

あと死ぬのではないかと思わせてしまっているのか「絶対生きてね！」というコメントもなぜか多いです。私は案外、大丈夫です。

振り返れば毎度必ずどこかで「今までを手放す」「壊す」「捨てる」という作業を定期的に繰り返している気がします。理由はどうであれ、それをする度に、今までの自分を超えてきたような気がします。

何かを手に入れるときは何かを失うと言うし、良いのか悪いのか断捨離する行為に情があまり生まれず、執着もないので苦と感じないのですが、これからの人生は、もう手放したり捨てたりするのは辞めたいなぁ。30歳を迎えるこれからは、もう何も失いたくない。

もしいつかまた会えることがあるなら、そのときは今までの私を超えた私で。さらに、私のなりたい・ありたい姿の私で。きっと今までの自分とは違うんだろうなと思ってしまうことに、少し悲しくもなるけども。

この本は30歳を迎える前日、29歳最後の日に出しているわけですが、私の理想やなりたかった30歳とは全然違くて。今に限らず20歳のときも、25歳のときも、私の想像していた未来とは違かったけども、生きることとは自分の思い通りや理想通りにいかないことの連続なんですよね。

だって29歳を迎えた私のファンクラブ限定ブログには「ラスト20代は仕事を頑張りたい気持ちでいっぱい」って書いてあるんですよ。なのに活動休止してるし。

だから未来を思って動いても、未来の自分の考えていることは変わっていたりもするし、理想通りになるかどうかもわからないからこそ、未来のために今を生きるのではなく、今を頑張って生き抜いて作った未来を迎えるほうが悔いはないよね、なんて思ってます。

きっとこれからは、自分が変化したからこそ今までと違うような価値観や生き方になりそうな気がします。
終わって気づいた反省点を大切に、そして応援してくれた皆を裏切らないような生き方を、いつまでもできたらいいなと思っています。

100年後の今頃にはきっと皆死んでるし、誰も私なんて覚えてない。
人の評価のために私は生きてるわけじゃない。
人の目を気にして、誰かの人生を歩んでるわけでもない。
自分の人生なのだから、自信を持って生きて欲しい。
そして、人生や生きることは素晴らしいと信じたい。

よく頑張りました。私。
30歳おめでとう。
そしてこれからは、頑張るよりも楽しんで。

橋本甜歌

てんちむ

1993年11月19日生まれ。2004年に橋本甜歌としてNHK『天才てれびくんMAX』にレギュラー出演。その後、ブロガー、タレント、ギャルモデルとして活躍し、ニート期間を経てチャンネル登録者168万人の人気ユーチューバーになるが、2023年9月をもって無期限活動休止。

秋カヲリ

1990年10月10日生まれ。ライター・作家・星天出版代表・一児の母。ユーチューバーオタクで、インフルエンサーの記事・書籍を多く手掛ける。男性社会における現代女性の生き方に着目し、低い自己肯定感に寄り添う文章を発信する。著書に『一問一答カウンセリング 迷えるアナタのお悩み相談室』。

推される力　推された人間の幸福度

発行日　2023年11月18日

著者　てんちむ／秋カヲリ

編集　宮嵜幸志（株式会社YOSCA）
デザイン　古谷哲朗（furutanidesign）
イラスト　松本千秋
撮影　倉持涼
ヘアメイク　川畑春菜（PARiS）

発行所　星天出版
https://www.seitenbooks.com/
印刷・製本　株式会社シナノパブリッシングプレス

RADA